개념 x 연산은
연산 집중 연습을 통해
개념을 완성시키는
솔루션입니다.

연구진

이동환_ 부산교육대학교 교수
이상욱_ 풍산자수학연구소 책임연구원

집필진

강연주_ 상도 뉴스터디, 풍산자수학연구소 연구위원
김규상_ 광명 더옳은수학, 풍산자수학연구소 연구위원
김명중_ 상도 뉴스터디, 풍산자수학연구소 연구위원
설성환_ 광명 더옳은수학, 풍산자수학연구소 연구위원
이지은_ 부산 하이매쓰, 풍산자수학연구소 연구위원
윤형은_ 상도 뉴스터디, 풍산자수학연구소 연구위원

교과서 속 연산을 빠르게!

풍산자

개념 ✕ 연산

| 정답과 풀이 |

초등 **수학** 5-2

1 수의 범위와 어림하기

01 이상과 이하, 초과와 미만

p. 07~09

> 예제 따라 풀어보는 연산

01 33 이상인 수 ⇨ 33, 38, 45

33 이하인 수 ⇨ 11, 18, 20, 24, 33

02 52 이상인 수 ⇨ 52, 53

46 이하인 수 ⇨ 42, 44, 45

03 20 초과인 수 ⇨ 22, 25, 29, 37

25 미만인 수 ⇨ 12, 13, 18, 22

04 38 초과인 수 ⇨ 39, 43, 52

43 미만인 수 ⇨ 13, 19, 24, 27, 39

05 풀이 참조 **06** 풀이 참조 **07** 풀이 참조

08 풀이 참조

> 스스로 풀어보는 연산

09 50 이상인 수 ⇨ 50, 54, 57, 63, 65, 67

57 이하인 수 ⇨ 40, 46, 50, 54, 57

10 7.2 이상인 수 ⇨ 7.2, 8, 9.6, 10, 12, 13.9

12 이하인 수 ⇨ 5, 6.8, 7.2, 8, 9.6, 10, 12

11 80 이상인 수 ⇨ 88, 92, 100, 111, 120

88 이하인 수 ⇨ 56, 66, 72, 88

12 17 이상인 수 ⇨ 17, 20, 21, 23, 30

19 이하인 수 ⇨ 5, 9, 14, 17

13 51 초과인 수 ⇨ 52, 56, 61

39 미만인 수 ⇨ 29, 35

14 22 초과인 수 ⇨ 23

15 미만인 수 ⇨ 11.9, 13, 14

15 27 초과인 수 ⇨ 31, 32, 52, 54

30 미만인 수 ⇨ 16, 20, 25, 27

16 80 초과인 수 ⇨ 87, 91.5, 100

80 미만인 수 ⇨ 62, 66, 77, 79

17 풀이 참조 **18** 풀이 참조 **19** 풀이 참조

20 풀이 참조 **21** 풀이 참조 **22** 풀이 참조

> 응용 연산

23 24 이상 29 이하인 수

24 43 초과 47 미만인 수

25 39 **26** 63 **27** ㉠, ㉢

28 ㉡, ㉢, ㉣ **29** 혜나, 하영, 소영

30 지혜, 혜나, 미진

05 답 풀이 참조

06 답 풀이 참조

07 답 풀이 참조

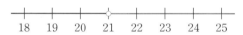

08 답 풀이 참조

17 답 풀이 참조

18 답 풀이 참조

19 답 풀이 참조

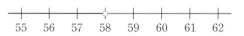

20 답 풀이 참조

21 답 풀이 참조

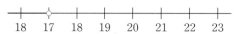

22 답 풀이 참조

25 답 39

주어진 범위를 만족하는 자연수는 12, 13, 14입니다.

따라서 범위를 만족하는 자연수의 합은
12＋13＋14＝39입니다.

26 답 63

주어진 범위를 만족하는 자연수는 8, 9, 10, 11, 12, 13입니다.

따라서 범위를 만족하는 자연수의 합은
8＋9＋10＋11＋12＋13＝63입니다.

27 답 ㉠, ㉢

㉠ 35 이상 40 미만인 수: 35, 36, 37, 38, 39

㉡ 35 초과 37 미만인 수: 36

㉢ 33 초과 35 이하인 수: 34, 35

㉣ 30 이상 34 이하인 수: 30, 31, 32, 33, 34

따라서 35를 포함하는 수의 범위는 ㉠, ㉢입니다.

28 답 ㉡, ㉢, ㉣

㉠ 45 이상 50 미만인 수: 45, 46, 47, 48, 49

㉡ 47 초과 50 이하인 수: 48, 49, 50

㉢ 49 초과 51 미만인 수: 50

㉣ 50 이상 52 이하인 수: 50, 51, 52

따라서 50을 포함하는 수의 범위는 ㉡, ㉢, ㉣입니다.

29 답 혜나, 하영, 소영

키가 150 cm보다 크거나 같은 학생은 혜나, 하영, 소영입니다.

30 답 지혜, 혜나, 미진

키가 150 cm보다 작거나 같은 학생은 지혜, 혜나, 미진입니다.

---

02 올림, 버림, 반올림

p. 11~13

> 예제 따라 풀어보는 연산

01 240, 300   **02** 360, 400   **03** 1.8, 1.78

04 2.5, 2.47   **05** 320, 300   **06** 750, 700

07 6.7, 6.74   **08** 9.1, 9.18   **09** 780, 800

10 530, 500   **11** 4.6, 4.63   **12** 3.4, 3.45

> 스스로 풀어보는 연산

13 930, 1000   **14** 2940, 3000

15 2.3, 2.27   **16** 7.2, 7.19

17 550, 500   **18** 38150, 38100

19 4.1, 4.15   **20** 3.8, 3.82

21 8740, 8700   **22** 1380, 1400

23 65550, 65500   **24** 73320, 73300

25 8.6, 8.64   **26** 6.7, 6.73

> 응용 연산

27 ＜   **28** ＜

29 49540, 49500, 50000, 50000

30 72600, 72600, 73000, 70000

31 ㉢   **32** ㉡   **33** 풀이 참조

34 풀이 참조

---

01 답 240, 300

232를 올림하여 십의 자리까지 나타내려면 일의 자리에서 올림하므로 240입니다.

232를 올림하여 백의 자리까지 나타내려면 십의 자리에서 올림하므로 300입니다.

03 답 1.8, 1.78

1.774를 올림하여 소수 첫째 자리까지 나타내려면 소수 둘째 자리에서 올림하므로 1.8입니다.

1.774를 올림하여 소수 둘째 자리까지 나타내려면 소수 셋째 자리에서 올림하므로 1.78입니다.

05 답 320, 300

321을 버림하여 십의 자리까지 나타내려면 일의 자리에서 버림하므로 320입니다.

321을 버림하여 백의 자리까지 나타내려면 십의 자리에서 버림하므로 300입니다.

07 답 6.7, 6.74

6.743을 버림하여 소수 첫째 자리까지 나타내려면 소수 둘째 자리에서 버림하므로 6.7입니다.

6.743을 버림하여 소수 둘째 자리까지 나타내려면 소수 셋째 자리에서 버림하므로 6.74입니다.

09 답 780, 800

784를 반올림하여 십의 자리까지 나타내려면 일의 자리에서 반올림하므로 780입니다.

784를 반올림하여 백의 자리까지 나타내려면 십의 자리에서 반올림하므로 800입니다.

11 답 4.6, 4.63

4.632를 반올림하여 소수 첫째 자리까지 나타내려면 소수 둘째 자리에서 반올림하므로 4.6입니다.

4.632를 반올림하여 소수 둘째 자리까지 나타내려면 소수 셋째 자리에서 반올림하므로 4.63입니다.

27 답 <

256을 올림하여 십의 자리까지 나타낸 수는 260입니다.

267을 올림하여 백의 자리까지 나타낸 수는 300입니다.

따라서 ○ 안에 알맞은 것은 < 입니다.

28 답 <

1784를 버림하여 백의 자리까지 나타낸 수는 1700입니다.

1721을 버림하여 십의 자리까지 나타낸 수는 1720입니다.

따라서 ○ 안에 알맞은 것은 < 입니다.

31 답 ㉢

㉠ 6541을 반올림하여 백의 자리까지 나타낸 수는 6500입니다.

㉡ 6480을 반올림하여 백의 자리까지 나타낸 수는 6500입니다.

㉢ 6593을 반올림하여 백의 자리까지 나타낸 수는 6600입니다.

㉣ 6527을 반올림하여 백의 자리까지 나타낸 수는 6500입니다.

따라서 반올림하여 백의 자리까지 나타낸 수가 다른 것은 ㉢입니다.

32 답 ㉡

㉠ 48746을 반올림하여 백의 자리까지 나타낸 수는 48700입니다.

㉡ 48831을 반올림하여 백의 자리까지 나타낸 수는 48800입니다.

㉢ 48652를 반올림하여 백의 자리까지 나타낸 수는 48700입니다.

㉣ 48739를 반올림하여 백의 자리까지 나타낸 수는 48700입니다.

따라서 반올림하여 백의 자리까지 나타낸 수가 다른 것은 ㉡입니다.

33 답

155를 올림하여 십의 자리까지 나타낸 수는 160입니다.

155를 버림하여 십의 자리까지 나타낸 수는 150입니다.

155를 반올림하여 백의 자리까지 나타낸 수는 200입니다.

34 답

4383을 올림하여 천의 자리까지 나타낸 수는 5000입니다.

4383을 버림하여 백의 자리까지 나타낸 수는 4300입니다.

4383을 반올림하여 백의 자리까지 나타낸 수는 4400입니다.

p. 14

재미있게, 우리 연산하자!

5 초과인 수는 6, 7, 8, 9, 10의 5개, 5 미만인 수는 1, 2, 3, 4의 4개이므로 [5 초과]쪽으로 이동합니다.

4 이하인 수는 1, 2, 3, 4의 4개, 7 초과인 수는 8, 9, 10의 3개이므로 [4 이하]쪽으로 이동합니다.

9 이상인 수는 9, 10의 2개, 4 미만인 수는 1, 2, 3의 3개이므로 [4 미만]쪽으로 이동합니다.

따라서 마지막 도착 장소는 도서관입니다.

답 도서관

2 ∷ 분수의 곱셈

03 (분수)×(자연수)

p. 17~19

> 예제 따라 풀어보는 연산

01 $5\frac{1}{3}$　　　**02** 6　　　**03** $3\frac{3}{4}$

04 $1\frac{5}{9}$　　　**05** $10\frac{1}{5}$　　　**06** $6\frac{2}{3}$

07 $11\frac{1}{3}$　　　**08** $12\frac{4}{5}$　　　**09** $15\frac{3}{7}$

10 $6\frac{4}{9}$　　　**11** $8\frac{3}{4}$　　　**12** $7\frac{7}{8}$

> 스스로 풀어보는 연산

13 $3\frac{11}{15}$　　　**14** $2\frac{4}{5}$　　　**15** $7\frac{4}{5}$

16 $3\frac{8}{9}$　　　**17** $4\frac{4}{17}$　　　**18** $2\frac{18}{19}$

19 14　　　**20** $6\frac{7}{8}$　　　**21** 6

22 $6\frac{1}{3}$　　　**23** $27\frac{1}{5}$　　　**24** $9\frac{1}{2}$

25 $15\frac{1}{3}$　　　**26** $7\frac{2}{3}$

> 응용 연산

27 ㉡　　　**28** ㉠　　　**29** $<$

30 $<$　　　**31** 4　　　**32** 12

33 풀이 참조　　**34** 풀이 참조

---

01 답 $5\frac{1}{3}$

$$\frac{4}{9}\times12=\frac{4\times12}{9}=\frac{\overset{16}{\cancel{48}}}{\underset{3}{\cancel{9}}}=\frac{16}{3}=5\frac{1}{3}$$

02 답 6

$$\frac{3}{4}\times8=\frac{3\times8}{4}=\frac{\overset{6}{\cancel{24}}}{\underset{1}{\cancel{4}}}=6$$

03 답 $3\frac{3}{4}$

$$\frac{5}{8}\times6=\frac{5\times6}{8}=\frac{\overset{15}{\cancel{30}}}{\underset{4}{\cancel{8}}}=\frac{15}{4}=3\frac{3}{4}$$

04 답 $1\frac{5}{9}$

$$\frac{7}{27}\times6=\frac{7\times6}{27}=\frac{\overset{14}{\cancel{42}}}{\underset{9}{\cancel{27}}}=\frac{14}{9}=1\frac{5}{9}$$

05 답 $10\frac{1}{5}$

$$3\frac{2}{5}\times3=\frac{17}{5}\times3=\frac{17\times3}{5}=\frac{51}{5}=10\frac{1}{5}$$

06 답 $6\frac{2}{3}$

$$1\frac{2}{3}\times4=\frac{5}{3}\times4=\frac{5\times4}{3}=\frac{20}{3}=6\frac{2}{3}$$

07 답 $11\frac{1}{3}$

$$5\frac{2}{3}\times2=\frac{17}{3}\times2=\frac{17\times2}{3}=\frac{34}{3}=11\frac{1}{3}$$

08 답 $12\frac{4}{5}$

$$3\frac{1}{5}\times4=\frac{16}{5}\times4=\frac{16\times4}{5}=\frac{64}{5}=12\frac{4}{5}$$

09 답 $15\frac{3}{7}$

$$5\frac{1}{7}\times3=(5\times3)+\left(\frac{1}{7}\times3\right)=15+\frac{3}{7}=15\frac{3}{7}$$

10 답 $6\frac{4}{9}$

$$3\frac{2}{9}\times2=(3\times2)+\left(\frac{2}{9}\times2\right)=6+\frac{4}{9}=6\frac{4}{9}$$

11 답 $8\frac{3}{4}$

$$1\frac{3}{4}\times5=(1\times5)+\left(\frac{3}{4}\times5\right)=5+\frac{15}{4}=5+3\frac{3}{4}$$
$$=8\frac{3}{4}$$

12 답 $7\frac{7}{8}$

$$2\frac{5}{8}\times3=(2\times3)+\left(\frac{5}{8}\times3\right)=6+\frac{15}{8}=6+1\frac{7}{8}$$
$$=7\frac{7}{8}$$

13 답 $3\dfrac{11}{15}$

$\dfrac{7}{15} \times 8 = \dfrac{7 \times 8}{15} = \dfrac{56}{15} = 3\dfrac{11}{15}$

14 답 $2\dfrac{4}{5}$

$\dfrac{7}{10} \times 4 = \dfrac{7 \times 4}{10} = \dfrac{\overset{14}{28}}{\underset{5}{10}} = \dfrac{14}{5} = 2\dfrac{4}{5}$

15 답 $7\dfrac{4}{5}$

$\dfrac{13}{15} \times 9 = \dfrac{13 \times 9}{15} = \dfrac{\overset{39}{117}}{\underset{5}{15}} = \dfrac{39}{5} = 7\dfrac{4}{5}$

16 답 $3\dfrac{8}{9}$

$\dfrac{7}{9} \times 5 = \dfrac{7 \times 5}{9} = \dfrac{35}{9} = 3\dfrac{8}{9}$

17 답 $4\dfrac{4}{17}$

$\dfrac{9}{17} \times 8 = \dfrac{9 \times 8}{17} = \dfrac{72}{17} = 4\dfrac{4}{17}$

18 답 $2\dfrac{18}{19}$

$\dfrac{14}{19} \times 4 = \dfrac{14 \times 4}{19} = \dfrac{56}{19} = 2\dfrac{18}{19}$

19 답 14

$2\dfrac{1}{3} \times 6 = \dfrac{7}{3} \times 6 = \dfrac{7 \times 6}{3} = \dfrac{\overset{14}{42}}{\underset{1}{3}} = 14$

20 답 $6\dfrac{7}{8}$

$1\dfrac{3}{8} \times 5 = \dfrac{11}{8} \times 5 = \dfrac{11 \times 5}{8} = \dfrac{55}{8} = 6\dfrac{7}{8}$

21 답 6

$1\dfrac{3}{6} \times 4 = \dfrac{9}{6} \times 4 = \dfrac{9 \times 4}{6} = \dfrac{\overset{6}{36}}{\underset{1}{6}} = 6$

22 답 $6\dfrac{1}{3}$

$2\dfrac{1}{9} \times 3 = \dfrac{19}{9} \times 3 = \dfrac{19 \times 3}{9} = \dfrac{\overset{19}{57}}{\underset{3}{9}} = \dfrac{19}{3} = 6\dfrac{1}{3}$

23 답 $27\dfrac{1}{5}$

$3\dfrac{2}{5} \times 8 = \dfrac{17}{5} \times 8 = \dfrac{17 \times 8}{5} = \dfrac{136}{5} = 27\dfrac{1}{5}$

24 답 $9\dfrac{1}{2}$

$2\dfrac{3}{8} \times 4 = \dfrac{19}{8} \times 4 = \dfrac{19 \times 4}{8} = \dfrac{\overset{19}{76}}{\underset{2}{8}} = \dfrac{19}{2} = 9\dfrac{1}{2}$

25 답 $15\dfrac{1}{3}$

$3\dfrac{5}{6} \times 4 = \dfrac{23}{6} \times 4 = \dfrac{23 \times 4}{6} = \dfrac{\overset{46}{92}}{\underset{3}{6}} = \dfrac{46}{3} = 15\dfrac{1}{3}$

26 답 $7\dfrac{2}{3}$

$2\dfrac{5}{9} \times 3 = \dfrac{23}{9} \times 3 = \dfrac{23 \times 3}{9} = \dfrac{\overset{23}{69}}{\underset{3}{9}} = \dfrac{23}{3} = 7\dfrac{2}{3}$

27 답 ㉡

㉠ $\dfrac{7}{9} \times 3 = \dfrac{7 \times 3}{9} = \dfrac{\overset{7}{21}}{\underset{3}{9}} = \dfrac{7}{3} = 2\dfrac{1}{3}$

㉡ $\dfrac{5}{12} \times 3 = \dfrac{5 \times 3}{12} = \dfrac{\overset{5}{15}}{\underset{4}{12}} = \dfrac{5}{4} = 1\dfrac{1}{4}$

㉢ $1\dfrac{4}{5} \times 3 = \dfrac{9}{5} \times 3 = \dfrac{9 \times 3}{5} = \dfrac{27}{5} = 5\dfrac{2}{5}$

㉣ $2\dfrac{5}{8} \times 4 = \dfrac{21}{8} \times 4 = \dfrac{21 \times 4}{8} = \dfrac{\overset{21}{84}}{\underset{2}{8}} = \dfrac{21}{2}$

$\qquad = 10\dfrac{1}{2}$

따라서 잘못 계산한 것은 ㉡입니다.

28 답 ㉠

㉠ $\dfrac{7}{20} \times 5 = \dfrac{7 \times 5}{20} = \dfrac{\overset{7}{35}}{\underset{4}{20}} = \dfrac{7}{4} = 1\dfrac{3}{4}$

㉡ $\dfrac{3}{10} \times 6 = \dfrac{3 \times 6}{10} = \dfrac{\overset{9}{18}}{\underset{5}{10}} = \dfrac{9}{5} = 1\dfrac{4}{5}$

㉢ $\dfrac{9}{28} \times 7 = \dfrac{9 \times 7}{28} = \dfrac{\overset{9}{63}}{\underset{4}{28}} = \dfrac{9}{4} = 2\dfrac{1}{4}$

㉣ $5\dfrac{5}{7} \times 2 = \dfrac{40}{7} \times 2 = \dfrac{40 \times 2}{7} = \dfrac{80}{7} = 11\dfrac{3}{7}$

따라서 잘못 계산한 것은 ㉠입니다.

29 답 $<$

$2\dfrac{3}{8} \times 6 = \dfrac{19}{8} \times 6 = \dfrac{19 \times 6}{8} = \dfrac{\overset{57}{114}}{\underset{4}{8}} = \dfrac{57}{4} = 14\dfrac{1}{4}$

$4\dfrac{1}{3} \times 5 = \dfrac{13}{3} \times 5 = \dfrac{13 \times 5}{3} = \dfrac{65}{3} = 21\dfrac{2}{3}$

따라서 ○ 안에 알맞은 것은 $<$입니다.

30 답 <

$$1\frac{3}{5} \times 4 = \frac{8}{5} \times 4 = \frac{8 \times 4}{5} = \frac{32}{5} = 6\frac{2}{5}$$

$$1\frac{7}{10} \times 5 = \frac{17}{10} \times 5 = \frac{\overset{17}{\cancel{85}}}{\underset{2}{\cancel{10}}} = \frac{17}{2} = 8\frac{1}{2}$$

따라서 ○ 안에 알맞은 것은 <입니다.

31 답 4

$$\frac{2}{9} \times 18 = \frac{2 \times 18}{9} = \frac{\overset{4}{\cancel{36}}}{\underset{1}{\cancel{9}}} = 4(판)$$

32 답 12

$$\frac{3}{5} \times 20 = \frac{3 \times 20}{5} = \frac{\overset{12}{\cancel{60}}}{\underset{1}{\cancel{5}}} = 12(L)$$

33 답

$$3\frac{3}{10} \times 20 = \frac{33}{10} \times 20 = \frac{33 \times 20}{10} = \frac{\overset{66}{\cancel{660}}}{\underset{1}{\cancel{10}}} = 66$$

$$2\frac{2}{7} \times 14 = \frac{16}{7} \times 14 = \frac{16 \times 14}{7} = \frac{\overset{32}{\cancel{224}}}{\underset{1}{\cancel{7}}} = 32$$

$$1\frac{3}{5} \times 15 = \frac{8}{5} \times 15 = \frac{8 \times 15}{5} = \frac{\overset{24}{\cancel{120}}}{\underset{1}{\cancel{5}}} = 24$$

34 답

$$\frac{8}{15} \times 10 = \frac{8 \times 10}{15} = \frac{\overset{16}{\cancel{80}}}{\underset{3}{\cancel{15}}} = \frac{16}{3} = 5\frac{1}{3}$$

$$\frac{5}{6} \times 8 = \frac{5 \times 8}{6} = \frac{\overset{20}{\cancel{40}}}{\underset{3}{\cancel{6}}} = \frac{20}{3} = 6\frac{2}{3}$$

$$\frac{13}{28} \times 7 = \frac{13 \times 7}{28} = \frac{\overset{13}{\cancel{91}}}{\underset{4}{\cancel{28}}} = \frac{13}{4} = 3\frac{1}{4}$$

04 (자연수)×(분수)

> 예제 따라 풀어보는 연산

01 $7\frac{1}{2}$ **02** $3\frac{3}{5}$ **03** 8

04 $5\frac{1}{2}$ **05** 20 **06** $5\frac{2}{5}$

07 18 **08** $12\frac{3}{4}$ **09** $8\frac{1}{2}$

10 $10\frac{1}{2}$ **11** $8\frac{1}{3}$ **12** $7\frac{3}{5}$

> 스스로 풀어보는 연산

13 $13\frac{1}{2}$ **14** 15 **15** $5\frac{1}{3}$

16 $8\frac{3}{4}$ **17** $11\frac{2}{3}$ **18** $2\frac{1}{12}$

19 $16\frac{1}{4}$ **20** 10 **21** $13\frac{5}{7}$

22 $9\frac{1}{5}$ **23** $16\frac{1}{2}$ **24** $7\frac{1}{5}$

25 6 **26** $8\frac{4}{7}$

> 응용 연산

27 ⓛ, ⓒ, ⓐ **28** ⓒ, ⓐ, ⓛ **29** 4

30 24 **31** 풀이 참조 **32** 풀이 참조

33 은수 **34** 현아

01 답 $7\frac{1}{2}$

$$9 \times \frac{5}{6} = \frac{9 \times 5}{6} = \frac{\overset{15}{\cancel{45}}}{\underset{2}{\cancel{6}}} = \frac{15}{2} = 7\frac{1}{2}$$

02 답 $3\frac{3}{5}$

$$12 \times \frac{3}{10} = \frac{12 \times 3}{10} = \frac{\overset{18}{\cancel{36}}}{\underset{5}{\cancel{10}}} = \frac{18}{5} = 3\frac{3}{5}$$

03 답 8

$$22 \times \frac{4}{11} = \frac{22 \times 4}{11} = \frac{\overset{8}{\cancel{88}}}{\underset{1}{\cancel{11}}} = 8$$

04 답 $5\frac{1}{2}$

$$8 \times \frac{11}{16} = \frac{8 \times 11}{16} = \frac{\overset{11}{88}}{\underset{2}{16}} = \frac{11}{2} = 5\frac{1}{2}$$

05 답 20

$$14 \times 1\frac{3}{7} = 14 \times \frac{10}{7} = \frac{14 \times 10}{7} = \frac{\overset{20}{140}}{\underset{1}{7}} = 20$$

06 답 $5\frac{2}{5}$

$$2 \times 2\frac{7}{10} = 2 \times \frac{27}{10} = \frac{2 \times 27}{10} = \frac{\overset{27}{54}}{\underset{5}{10}} = \frac{27}{5} = 5\frac{2}{5}$$

07 답 18

$$10 \times 1\frac{4}{5} = 10 \times \frac{9}{5} = \frac{10 \times 9}{5} = \frac{\overset{18}{90}}{\underset{1}{5}} = 18$$

08 답 $12\frac{3}{4}$

$$6 \times 2\frac{1}{8} = 6 \times \frac{17}{8} = \frac{6 \times 17}{8} = \frac{\overset{51}{102}}{\underset{4}{8}} = \frac{51}{4} = 12\frac{3}{4}$$

09 답 $8\frac{1}{2}$

$$4 \times 2\frac{1}{8} = (4 \times 2) + \left(4 \times \frac{1}{8}\right) = 8 + \frac{\overset{1}{4}}{\underset{2}{8}} = 8 + \frac{1}{2}$$
$$= 8\frac{1}{2}$$

10 답 $10\frac{1}{2}$

$$9 \times 1\frac{1}{6} = (9 \times 1) + \left(9 \times \frac{1}{6}\right) = 9 + \frac{\overset{3}{9}}{\underset{2}{6}} = 9 + \frac{3}{2}$$
$$= 9 + 1\frac{1}{2} = 10\frac{1}{2}$$

11 답 $8\frac{1}{3}$

$$3 \times 2\frac{7}{9} = (3 \times 2) + \left(3 \times \frac{7}{9}\right) = 6 + \frac{\overset{7}{21}}{\underset{3}{9}} = 6 + \frac{7}{3}$$
$$= 6 + 2\frac{1}{3} = 8\frac{1}{3}$$

12 답 $7\frac{3}{5}$

$$2 \times 3\frac{4}{5} = (2 \times 3) + \left(2 \times \frac{4}{5}\right) = 6 + \frac{8}{5} = 6 + 1\frac{3}{5}$$
$$= 7\frac{3}{5}$$

13 답 $13\frac{1}{2}$

$$18 \times \frac{3}{4} = \frac{18 \times 3}{4} = \frac{\overset{27}{54}}{\underset{2}{4}} = \frac{27}{2} = 13\frac{1}{2}$$

14 답 15

$$25 \times \frac{3}{5} = \frac{25 \times 3}{5} = \frac{\overset{15}{75}}{\underset{1}{5}} = 15$$

15 답 $5\frac{1}{3}$

$$6 \times \frac{8}{9} = \frac{6 \times 8}{9} = \frac{\overset{16}{48}}{\underset{3}{9}} = \frac{16}{3} = 5\frac{1}{3}$$

16 답 $8\frac{3}{4}$

$$10 \times \frac{7}{8} = \frac{10 \times 7}{8} = \frac{\overset{35}{70}}{\underset{4}{8}} = \frac{35}{4} = 8\frac{3}{4}$$

17 답 $11\frac{2}{3}$

$$14 \times \frac{5}{6} = \frac{14 \times 5}{6} = \frac{\overset{35}{70}}{\underset{3}{6}} = \frac{35}{3} = 11\frac{2}{3}$$

18 답 $2\frac{1}{12}$

$$5 \times \frac{5}{12} = \frac{5 \times 5}{12} = \frac{25}{12} = 2\frac{1}{12}$$

19 답 $16\frac{1}{4}$

$$20 \times \frac{13}{16} = \frac{20 \times 13}{16} = \frac{\overset{65}{260}}{\underset{4}{16}} = \frac{65}{4} = 16\frac{1}{4}$$

20 답 10

$$4 \times 2\frac{1}{2} = 4 \times \frac{5}{2} = \frac{4 \times 5}{2} = \frac{\overset{10}{20}}{\underset{1}{2}} = 10$$

21 답 $13\frac{5}{7}$

$$12 \times 1\frac{1}{7} = 12 \times \frac{8}{7} = \frac{12 \times 8}{7} = \frac{96}{7} = 13\frac{5}{7}$$

22 답 $9\frac{1}{5}$

$$4 \times 2\frac{3}{10} = 4 \times \frac{23}{10} = \frac{4 \times 23}{10} = \frac{\overset{46}{\cancel{92}}}{\underset{5}{\cancel{10}}} = \frac{46}{5} = 9\frac{1}{5}$$

23 답 $16\frac{1}{2}$

$$9 \times 1\frac{5}{6} = 9 \times \frac{11}{6} = \frac{9 \times 11}{6} = \frac{\overset{33}{\cancel{99}}}{\underset{2}{\cancel{6}}} = \frac{33}{2} = 16\frac{1}{2}$$

24 답 $7\frac{1}{5}$

$$6 \times 1\frac{2}{10} = 6 \times \frac{12}{10} = \frac{6 \times 12}{10} = \frac{\overset{36}{\cancel{72}}}{\underset{5}{\cancel{10}}} = \frac{36}{5} = 7\frac{1}{5}$$

25 답 6

$$4 \times 1\frac{1}{2} = 4 \times \frac{3}{2} = \frac{4 \times 3}{2} = \frac{\overset{6}{\cancel{12}}}{\underset{1}{\cancel{2}}} = 6$$

26 답 $8\frac{4}{7}$

$$2 \times 4\frac{2}{7} = 2 \times \frac{30}{7} = \frac{2 \times 30}{7} = \frac{60}{7} = 8\frac{4}{7}$$

27 답 ㉡, ㉢, ㉠

㉠ $5 \times 1\frac{2}{7} = 5 \times \frac{9}{7} = \frac{5 \times 9}{7} = \frac{45}{7} = 6\frac{3}{7}$

㉡ $10 \times 2\frac{1}{3} = 10 \times \frac{7}{3} = \frac{10 \times 7}{3} = \frac{70}{3} = 23\frac{1}{3}$

㉢ $8 \times 2\frac{2}{6} = 8 \times \frac{14}{6} = \frac{8 \times 14}{6} = \frac{\overset{56}{\cancel{112}}}{\underset{3}{\cancel{6}}} = \frac{56}{3}$
$$= 18\frac{2}{3}$$

따라서 계산 결과가 큰 것부터 차례대로 기호를 쓰면
㉡, ㉢, ㉠입니다.

28 답 ㉢, ㉠, ㉡

㉠ $6 \times 2\frac{5}{9} = 6 \times \frac{23}{9} = \frac{6 \times 23}{9} = \frac{\overset{46}{\cancel{138}}}{\underset{3}{\cancel{9}}} = \frac{46}{3}$
$$= 15\frac{1}{3}$$

㉡ $4 \times 2\frac{7}{8} = 4 \times \frac{23}{8} = \frac{4 \times 23}{8} = \frac{\overset{23}{\cancel{92}}}{\underset{2}{\cancel{8}}} = \frac{23}{2}$
$$= 11\frac{1}{2}$$

㉢ $9 \times 2\frac{1}{12} = 9 \times \frac{25}{12} = \frac{9 \times 25}{12} = \frac{\overset{75}{\cancel{225}}}{\underset{4}{\cancel{12}}} = \frac{75}{4}$
$$= 18\frac{3}{4}$$

따라서 계산 결과가 큰 것부터 차례대로 기호를 쓰면
㉢, ㉠, ㉡입니다.

29 답 4

$$30 \times \frac{2}{15} = \frac{30 \times 2}{15} = \frac{\overset{4}{\cancel{60}}}{\underset{1}{\cancel{15}}} = 4(장)$$

30 답 24

$$56 \times \frac{3}{7} = \frac{56 \times 3}{7} = \frac{\overset{24}{\cancel{168}}}{\underset{1}{\cancel{7}}} = 24(개)$$

31 답

$$8 \times 1\frac{3}{9} = 8 \times \frac{12}{9} = \frac{8 \times 12}{9} = \frac{\overset{32}{\cancel{96}}}{\underset{3}{\cancel{9}}} = \frac{32}{3} = 10\frac{2}{3}$$

$$3 \times 2\frac{4}{15} = 3 \times \frac{34}{15} = \frac{3 \times 34}{15} = \frac{\overset{34}{\cancel{102}}}{\underset{5}{\cancel{15}}} = \frac{34}{5} = 6\frac{4}{5}$$

$$2 \times 2\frac{1}{3} = 2 \times \frac{7}{3} = \frac{2 \times 7}{3} = \frac{14}{3} = 4\frac{2}{3}$$

32 답

$$12 \times \frac{2}{3} = \frac{12 \times 2}{3} = \frac{\overset{8}{\cancel{24}}}{\underset{1}{\cancel{3}}} = 8$$

$$16 \times \frac{5}{6} = \frac{16 \times 5}{6} = \frac{\overset{40}{\cancel{80}}}{\underset{3}{\cancel{6}}} = \frac{40}{3} = 13\frac{1}{3}$$

$$10 \times \frac{3}{4} = \frac{10 \times 3}{4} = \frac{\overset{15}{\cancel{30}}}{\underset{2}{\cancel{4}}} = \frac{15}{2} = 7\frac{1}{2}$$

33 답 은수

1시간은 60분이므로 1시간의 $\frac{1}{2}$은 30분입니다.

1 km는 1000 m이므로 1 km의 $\frac{1}{5}$은 200 m입니다.

따라서 바르게 말한 친구는 은수입니다.

34 답 현아

1 L는 1000 mL이므로 1 L의 $\frac{1}{4}$은 250 mL입니다.

1 kg은 1000 g이므로 1 kg의 $\frac{1}{10}$은 100 g입니다.

따라서 바르게 말한 친구는 현아입니다.

05 (진분수)×(진분수)

p. 25~27

> 예제 따라 풀어보는 연산

01 $\frac{1}{24}$　　02 $\frac{1}{12}$　　03 $\frac{1}{16}$

04 $\frac{1}{55}$　　05 $\frac{21}{40}$　　06 $\frac{1}{6}$

07 $\frac{3}{22}$　　08 $\frac{15}{28}$　　09 $\frac{5}{16}$

10 $\frac{1}{14}$　　11 $\frac{2}{45}$　　12 $\frac{3}{20}$

> 스스로 풀어보는 연산

13 $\frac{1}{15}$　　14 $\frac{1}{63}$　　15 $\frac{1}{48}$

16 $\frac{1}{26}$　　17 $\frac{1}{90}$　　18 $\frac{5}{48}$

19 $\frac{6}{23}$　　20 $\frac{21}{68}$　　21 $\frac{1}{9}$

22 $\frac{11}{45}$　　23 $\frac{3}{20}$　　24 $\frac{1}{18}$

25 $\frac{2}{9}$　　26 $\frac{3}{14}$

> 응용 연산

27 $\frac{1}{12}$, $\frac{1}{32}$　　28 $\frac{1}{15}$, $\frac{1}{18}$　　29 >

30 <　　　31 풀이 참조　　32 풀이 참조

33 풀이 참조　　34 풀이 참조

---

01 답 $\frac{1}{24}$

$$\frac{1}{6} \times \frac{1}{4} = \frac{1 \times 1}{6 \times 4} = \frac{1}{24}$$

02 답 $\frac{1}{12}$

$$\frac{1}{3} \times \frac{1}{4} = \frac{1 \times 1}{3 \times 4} = \frac{1}{12}$$

03 답 $\frac{1}{16}$

$$\frac{1}{2} \times \frac{1}{8} = \frac{1 \times 1}{2 \times 8} = \frac{1}{16}$$

04 답 $\frac{1}{55}$

$$\frac{1}{11} \times \frac{1}{5} = \frac{1 \times 1}{11 \times 5} = \frac{1}{55}$$

---

05 답 $\frac{21}{40}$

$$\frac{3}{5} \times \frac{7}{8} = \frac{3 \times 7}{5 \times 8} = \frac{21}{40}$$

06 답 $\frac{1}{6}$

$$\frac{3}{16} \times \frac{8}{9} = \frac{\overset{1}{3} \times \overset{1}{8}}{\underset{2}{16} \times \underset{3}{9}} = \frac{1}{6}$$

07 답 $\frac{3}{22}$

$$\frac{3}{8} \times \frac{4}{11} = \frac{3 \times \overset{1}{4}}{\underset{2}{8} \times 11} = \frac{3}{22}$$

08 답 $\frac{15}{28}$

$$\frac{9}{14} \times \frac{5}{6} = \frac{9 \times 5}{14 \times \underset{2}{6}}^{\,3} = \frac{15}{28}$$

09 답 $\frac{5}{16}$

$$\frac{1}{2} \times \frac{3}{4} \times \frac{5}{6} = \frac{1 \times \overset{1}{3} \times 5}{2 \times 4 \times \underset{2}{6}} = \frac{5}{16}$$

10 답 $\frac{1}{14}$

$$\frac{2}{7} \times \frac{3}{4} \times \frac{1}{3} = \frac{\overset{1}{2} \times \overset{1}{3} \times 1}{7 \times \underset{2}{4} \times \underset{1}{3}} = \frac{1}{14}$$

11 답 $\frac{2}{45}$

$$\frac{2}{5} \times \frac{1}{6} \times \frac{2}{3} = \frac{2 \times 1 \times 2}{5 \times \underset{3}{6} \times 3}^{\,1} = \frac{2}{45}$$

12 답 $\frac{3}{20}$

$$\frac{3}{8} \times \frac{4}{5} \times \frac{1}{2} = \frac{3 \times \overset{1}{4} \times 1}{\underset{2}{8} \times 5 \times 2} = \frac{3}{20}$$

13 답 $\frac{1}{15}$

$$\frac{1}{3} \times \frac{1}{5} = \frac{1 \times 1}{3 \times 5} = \frac{1}{15}$$

14 답 $\frac{1}{63}$

$$\frac{1}{9} \times \frac{1}{7} = \frac{1 \times 1}{9 \times 7} = \frac{1}{63}$$

15 답 $\dfrac{1}{48}$

$$\dfrac{1}{6} \times \dfrac{1}{8} = \dfrac{1 \times 1}{6 \times 8} = \dfrac{1}{48}$$

16 답 $\dfrac{1}{26}$

$$\dfrac{1}{13} \times \dfrac{1}{2} = \dfrac{1 \times 1}{13 \times 2} = \dfrac{1}{26}$$

17 답 $\dfrac{1}{90}$

$$\dfrac{1}{10} \times \dfrac{1}{9} = \dfrac{1 \times 1}{10 \times 9} = \dfrac{1}{90}$$

18 답 $\dfrac{5}{48}$

$$\dfrac{3}{8} \times \dfrac{5}{18} = \dfrac{\overset{1}{3} \times 5}{8 \times \underset{6}{18}} = \dfrac{5}{48}$$

19 답 $\dfrac{6}{23}$

$$\dfrac{3}{7} \times \dfrac{14}{23} = \dfrac{3 \times \overset{2}{14}}{\underset{1}{7} \times 23} = \dfrac{6}{23}$$

20 답 $\dfrac{21}{68}$

$$\dfrac{3}{8} \times \dfrac{14}{17} = \dfrac{3 \times \overset{7}{14}}{\underset{4}{8} \times 17} = \dfrac{21}{68}$$

21 답 $\dfrac{1}{9}$

$$\dfrac{4}{15} \times \dfrac{5}{12} = \dfrac{\overset{1}{4} \times \overset{1}{5}}{\underset{3}{15} \times \underset{3}{12}} = \dfrac{1}{9}$$

22 답 $\dfrac{11}{45}$

$$\dfrac{11}{20} \times \dfrac{4}{9} = \dfrac{11 \times \overset{1}{4}}{\underset{5}{20} \times 9} = \dfrac{11}{45}$$

23 답 $\dfrac{3}{20}$

$$\dfrac{2}{5} \times \dfrac{3}{4} \times \dfrac{1}{2} = \dfrac{2 \times 3 \times 1}{5 \times 4 \times 2} = \dfrac{\overset{3}{6}}{\underset{20}{40}} = \dfrac{3}{20}$$

24 답 $\dfrac{1}{18}$

$$\dfrac{1}{6} \times \dfrac{3}{7} \times \dfrac{7}{9} = \dfrac{1 \times \overset{1}{3} \times \overset{1}{7}}{\underset{2}{6} \times \underset{1}{7} \times 9} = \dfrac{1}{18}$$

25 답 $\dfrac{2}{9}$

$$\dfrac{1}{3} \times \dfrac{5}{6} \times \dfrac{4}{5} = \dfrac{1 \times 5 \times \overset{2}{4}}{3 \times \underset{3}{6} \times 5} = \dfrac{2}{9}$$

26 답 $\dfrac{3}{14}$

$$\dfrac{3}{4} \times \dfrac{1}{2} \times \dfrac{4}{7} = \dfrac{3 \times 1 \times 4}{4 \times 2 \times 7} = \dfrac{\overset{3}{12}}{\underset{14}{56}} = \dfrac{3}{14}$$

27 답 $\dfrac{1}{12}$, $\dfrac{1}{32}$

$$\dfrac{1}{4} \times \dfrac{1}{3} = \dfrac{1 \times 1}{4 \times 3} = \dfrac{1}{12}$$

$$\dfrac{1}{12} \times \dfrac{3}{8} = \dfrac{1 \times 3}{12 \times 8} = \dfrac{\overset{1}{3}}{\underset{32}{96}} = \dfrac{1}{32}$$

28 답 $\dfrac{1}{15}$, $\dfrac{1}{18}$

$$\dfrac{1}{9} \times \dfrac{3}{5} = \dfrac{1 \times 3}{9 \times 5} = \dfrac{\overset{1}{3}}{\underset{15}{45}} = \dfrac{1}{15}$$

$$\dfrac{1}{15} \times \dfrac{5}{6} = \dfrac{1 \times 5}{15 \times 6} = \dfrac{\overset{1}{5}}{\underset{18}{90}} = \dfrac{1}{18}$$

29 답 $>$

$$\dfrac{1}{6} \times \dfrac{2}{3} \times \dfrac{9}{10} = \dfrac{1 \times 2 \times 9}{6 \times 3 \times 10} = \dfrac{\overset{1}{18}}{\underset{10}{180}} = \dfrac{1}{10}$$

$$\dfrac{1}{3} \times \dfrac{1}{7} \times \dfrac{7}{15} = \dfrac{1 \times 1 \times \overset{1}{7}}{3 \times \underset{1}{7} \times 15} = \dfrac{1}{45}$$

단위분수는 분모가 작을수록 큰 분수입니다.
따라서 ○ 안에 알맞은 것은 $>$ 입니다.

30 답 $<$

$$\dfrac{1}{5} \times \dfrac{1}{4} \times \dfrac{2}{11} = \dfrac{1 \times 1 \times \overset{1}{2}}{5 \times \underset{2}{4} \times 11} = \dfrac{1}{110}$$

$$\dfrac{1}{6} \times \dfrac{1}{4} \times \dfrac{3}{5} = \dfrac{1 \times 1 \times 3}{6 \times 4 \times 5} = \dfrac{\overset{1}{3}}{\underset{40}{120}} = \dfrac{1}{40}$$

단위분수는 분모가 작을수록 큰 분수입니다.
따라서 ○ 안에 알맞은 것은 $<$ 입니다.

31 답 풀이 참조

$$\dfrac{5}{9} \times \dfrac{3}{7} = \dfrac{5 \times 3}{9 \times 7} = \dfrac{\overset{5}{15}}{\underset{21}{63}} = \dfrac{5}{21}$$

32 답 풀이 참조

$$\frac{5}{9} \times \frac{3}{7} = \frac{5 \times \overset{1}{3}}{\underset{3}{9} \times 7} = \frac{5}{21}$$

33 답

$$\frac{3}{5} \times \frac{3}{4} = \frac{3 \times 3}{5 \times 4} = \frac{9}{20}$$

$$\frac{\overset{1}{5}}{\underset{4}{8}} \times \frac{\overset{3}{6}}{\underset{7}{35}} = \frac{3}{28}$$

$$\frac{3}{4} \times \frac{1}{5} = \frac{3 \times 1}{4 \times 5} = \frac{3}{20}$$

34 답

$$\frac{3}{7} \times \frac{5}{\underset{2}{6}} = \frac{5}{14}$$

$$\frac{13}{\underset{9}{27}} \times \frac{\overset{1}{3}}{4} = \frac{13}{36}$$

$$\frac{\overset{1}{5}}{\underset{2}{6}} \times \frac{\overset{3}{9}}{\underset{2}{10}} = \frac{3}{4}$$

06 (분수)×(분수)

p. 29~31

> 예제 따라 풀어보는 연산

01 $5\frac{1}{7}$ **02** $5\frac{13}{15}$ **03** $3\frac{11}{15}$

04 $5\frac{5}{8}$ **05** $3\frac{3}{5}$ **06** $4\frac{4}{9}$

07 $4\frac{1}{5}$ **08** $1\frac{2}{7}$ **09** $3\frac{1}{3}$

10 $4\frac{1}{6}$ **11** $3\frac{3}{7}$ **12** $2\frac{2}{5}$

> 스스로 풀어보는 연산

13 $4\frac{1}{2}$ **14** $3\frac{1}{2}$ **15** 6

16 $3\frac{17}{20}$ **17** $1\frac{32}{49}$ **18** $2\frac{2}{9}$

19 $5\frac{1}{2}$ **20** 4 **21** $1\frac{5}{7}$

22 $1\frac{7}{9}$ **23** $3\frac{3}{4}$ **24** $4\frac{3}{8}$

25 $3\frac{3}{7}$ **26** $3\frac{5}{9}$

> 응용 연산

27 $<$ **28** $<$ **29** $8\frac{8}{9}$

30 $4\frac{11}{16}$ **31** 2개   **32** 4개

33 가   **34** 나

01 답 $5\frac{1}{7}$

$$3\frac{3}{5} \times 1\frac{3}{7} = \frac{18}{5} \times \frac{10}{7} = \frac{18 \times 10}{5 \times 7} = \frac{\overset{36}{180}}{\underset{7}{35}} = 5\frac{1}{7}$$

02 답 $5\frac{13}{15}$

$$2\frac{2}{3} \times 2\frac{1}{5} = \frac{8}{3} \times \frac{11}{5} = \frac{8 \times 11}{3 \times 5} = \frac{88}{15} = 5\frac{13}{15}$$

03 답 $3\frac{11}{15}$

$$1\frac{2}{5} \times 2\frac{2}{3} = \frac{7}{5} \times \frac{8}{3} = \frac{7 \times 8}{5 \times 3} = \frac{56}{15} = 3\frac{11}{15}$$

04 답 $5\dfrac{5}{8}$

$2\dfrac{4}{8}\times 2\dfrac{1}{4}=\dfrac{20}{8}\times\dfrac{9}{4}=\dfrac{20\times 9}{8\times 4}=\dfrac{\overset{45}{180}}{\underset{8}{32}}=5\dfrac{5}{8}$

05 답 $3\dfrac{3}{5}$

$2\dfrac{4}{10}\times 1\dfrac{1}{2}=\dfrac{24}{10}\times\dfrac{3}{2}=\dfrac{24\times 3}{10\times 2}=\dfrac{\overset{18}{72}}{\underset{5}{20}}=3\dfrac{3}{5}$

06 답 $4\dfrac{4}{9}$

$2\dfrac{2}{3}\times 1\dfrac{8}{12}=\dfrac{8}{3}\times\dfrac{20}{12}=\dfrac{8\times 20}{3\times 12}=\dfrac{\overset{40}{160}}{\underset{9}{36}}=4\dfrac{4}{9}$

07 답 $4\dfrac{1}{5}$

$7\times\dfrac{3}{5}=\dfrac{7}{1}\times\dfrac{3}{5}=\dfrac{7\times 3}{1\times 5}=\dfrac{21}{5}=4\dfrac{1}{5}$

08 답 $1\dfrac{2}{7}$

$3\times\dfrac{3}{7}=\dfrac{3}{1}\times\dfrac{3}{7}=\dfrac{3\times 3}{1\times 7}=\dfrac{9}{7}=1\dfrac{2}{7}$

09 답 $3\dfrac{1}{3}$

$5\times\dfrac{2}{3}=\dfrac{5}{1}\times\dfrac{2}{3}=\dfrac{5\times 2}{1\times 3}=\dfrac{10}{3}=3\dfrac{1}{3}$

10 답 $4\dfrac{1}{6}$

$5\times\dfrac{5}{6}=\dfrac{5}{1}\times\dfrac{5}{6}=\dfrac{5\times 5}{1\times 6}=\dfrac{25}{6}=4\dfrac{1}{6}$

11 답 $3\dfrac{3}{7}$

$4\times\dfrac{6}{7}=\dfrac{4}{1}\times\dfrac{6}{7}=\dfrac{4\times 6}{1\times 7}=\dfrac{24}{7}=3\dfrac{3}{7}$

12 답 $2\dfrac{2}{5}$

$6\times\dfrac{2}{5}=\dfrac{6}{1}\times\dfrac{2}{5}=\dfrac{6\times 2}{1\times 5}=\dfrac{12}{5}=2\dfrac{2}{5}$

13 답 $4\dfrac{1}{2}$

$1\dfrac{4}{5}\times 2\dfrac{3}{6}=\dfrac{\overset{3}{9}}{5}\times\dfrac{15}{\underset{2}{6}}=\dfrac{9}{2}=4\dfrac{1}{2}$

14 답 $3\dfrac{1}{2}$

$1\dfrac{2}{5}\times 2\dfrac{1}{2}=\dfrac{7}{\underset{1}{5}}\times\dfrac{\overset{1}{5}}{2}=\dfrac{7}{2}=3\dfrac{1}{2}$

15 답 6

$3\dfrac{1}{3}\times 1\dfrac{4}{5}=\dfrac{\overset{2}{10}}{\underset{1}{3}}\times\dfrac{\overset{3}{9}}{\underset{1}{5}}=6$

16 답 $3\dfrac{17}{20}$

$2\dfrac{3}{4}\times 1\dfrac{2}{5}=\dfrac{11}{4}\times\dfrac{7}{5}=\dfrac{11\times 7}{4\times 5}=\dfrac{77}{20}=3\dfrac{17}{20}$

17 답 $1\dfrac{32}{49}$

$1\dfrac{2}{7}\times 1\dfrac{2}{7}=\dfrac{9}{7}\times\dfrac{9}{7}=\dfrac{9\times 9}{7\times 7}=\dfrac{81}{49}=1\dfrac{32}{49}$

18 답 $2\dfrac{2}{9}$

$1\dfrac{4}{6}\times 1\dfrac{2}{6}=\dfrac{\overset{5}{10}}{\underset{3}{6}}\times\dfrac{\overset{4}{8}}{\underset{3}{6}}=\dfrac{20}{9}=2\dfrac{2}{9}$

19 답 $5\dfrac{1}{2}$

$2\dfrac{1}{5}\times 2\dfrac{2}{4}=\dfrac{11}{\underset{1}{5}}\times\dfrac{\overset{2}{10}}{4}=\dfrac{\overset{11}{22}}{\underset{2}{4}}=\dfrac{11}{2}=5\dfrac{1}{2}$

20 답 4

$3\dfrac{1}{5}\times 1\dfrac{1}{4}=\dfrac{\overset{4}{16}}{\underset{1}{5}}\times\dfrac{\overset{1}{5}}{\underset{1}{4}}=4$

21 답 $1\dfrac{5}{7}$

$3\times\dfrac{4}{7}=\dfrac{3}{1}\times\dfrac{4}{7}=\dfrac{3\times 4}{1\times 7}=\dfrac{12}{7}=1\dfrac{5}{7}$

22 답 $1\dfrac{7}{9}$

$2\times\dfrac{8}{9}=\dfrac{2}{1}\times\dfrac{8}{9}=\dfrac{2\times 8}{1\times 9}=\dfrac{16}{9}=1\dfrac{7}{9}$

23 답 $3\dfrac{3}{4}$

$5\times\dfrac{3}{4}=\dfrac{5}{1}\times\dfrac{3}{4}=\dfrac{5\times 3}{1\times 4}=\dfrac{15}{4}=3\dfrac{3}{4}$

24 답 $4\dfrac{3}{8}$

$7\times\dfrac{5}{8}=\dfrac{7}{1}\times\dfrac{5}{8}=\dfrac{7\times 5}{1\times 8}=\dfrac{35}{8}=4\dfrac{3}{8}$

25 답 $3\frac{3}{7}$

$$4 \times \frac{6}{7} = \frac{4}{1} \times \frac{6}{7} = \frac{4 \times 6}{1 \times 7} = \frac{24}{7} = 3\frac{3}{7}$$

26 답 $3\frac{5}{9}$

$$8 \times \frac{4}{9} = \frac{8}{1} \times \frac{4}{9} = \frac{8 \times 4}{1 \times 9} = \frac{32}{9} = 3\frac{5}{9}$$

27 답 $<$

$$2\frac{8}{11} \times 1\frac{2}{3} = \frac{\overset{10}{30}}{11} \times \frac{5}{\underset{1}{3}} = \frac{50}{11} = 4\frac{6}{11}$$

$$7 \times \frac{5}{6} = \frac{7}{1} \times \frac{5}{6} = \frac{7 \times 5}{1 \times 6} = \frac{35}{6} = 5\frac{5}{6}$$

따라서 ○ 안에 알맞은 것은 $<$ 입니다.

28 답 $<$

$$4 \times \frac{2}{3} = \frac{4}{1} \times \frac{2}{3} = \frac{4 \times 2}{1 \times 3} = \frac{8}{3} = 2\frac{2}{3}$$

$$1\frac{2}{8} \times 2\frac{2}{5} = \frac{\overset{2}{10}}{\underset{2}{8}} \times \frac{\overset{3}{12}}{\underset{1}{5}} = \frac{\overset{3}{6}}{\underset{1}{2}} = 3$$

따라서 ○ 안에 알맞은 것은 $<$ 입니다.

29 답 $8\frac{8}{9}$

가장 큰 수는 자연수 부분이 가장 큰 $5\frac{1}{3}$이고, 가장 작은 수는 자연수 부분이 가장 작은 $1\frac{2}{3}$입니다.

$$5\frac{1}{3} \times 1\frac{2}{3} = \frac{16}{3} \times \frac{5}{3} = \frac{16 \times 5}{3 \times 3} = \frac{80}{9} = 8\frac{8}{9}$$

30 답 $4\frac{11}{16}$

가장 큰 수는 자연수 부분이 가장 큰 $3\frac{3}{4}$이고, 가장 작은 수는 자연수 부분이 가장 작은 $1\frac{1}{4}$입니다.

$$3\frac{3}{4} \times 1\frac{1}{4} = \frac{15}{4} \times \frac{5}{4} = \frac{15 \times 5}{4 \times 4} = \frac{75}{16} = 4\frac{11}{16}$$

31 답 2개

$$1\frac{7}{8} \times 1\frac{3}{5} = \frac{\overset{3}{15}}{\underset{1}{8}} \times \frac{\overset{1}{8}}{\underset{1}{5}} = 3$$

따라서 $3 > \square\frac{1}{7}$, $2\frac{7}{7} > \square\frac{1}{7}$이므로 □ 안에 들어갈 수 있는 자연수는 1, 2의 2개입니다.

32 답 4개

$$3\frac{1}{4} \times 1\frac{3}{7} = \frac{13}{\underset{2}{4}} \times \frac{\overset{5}{10}}{7} = \frac{65}{14} = 4\frac{9}{14}$$

따라서 $4\frac{9}{14} > \square\frac{1}{14}$이므로 □ 안에 들어갈 수 있는 자연수는 1, 2, 3, 4의 4개입니다.

33 답 가

가: $3\frac{1}{3} \times 3\frac{1}{3} = \frac{10}{3} \times \frac{10}{3} = \frac{100}{9} = 11\frac{1}{9}$

나: $3\frac{3}{5} \times 2 = \frac{18}{5} \times \frac{2}{1} = \frac{18 \times 2}{5 \times 1} = \frac{36}{5} = 7\frac{1}{5}$

따라서 넓이가 더 넓은 것은 **가**입니다.

34 답 나

가: $2\frac{1}{5} \times 2\frac{1}{5} = \frac{11}{5} \times \frac{11}{5} = \frac{121}{25} = 4\frac{21}{25}$

나: $4\frac{2}{3} \times 1\frac{1}{5} = \frac{14}{\underset{1}{3}} \times \frac{\overset{2}{6}}{5} = \frac{28}{5} = 5\frac{3}{5}$

따라서 넓이가 더 넓은 것은 **나**입니다.

p. 32

재미있게, 우리 연산하자!

사다리타기 결과는 다음과 같습니다.

$\frac{5}{6} \times \frac{24}{25}$	$\Rightarrow$ ㉠
$3\frac{1}{2} \times 5$	$\Rightarrow$ ㉡
$2\frac{2}{7} \times 1\frac{5}{14}$	$\Rightarrow$ ㉢
$11 \times \frac{7}{22}$	$\Rightarrow$ ㉣

㉠ $\dfrac{\overset{1}{5}}{\underset{1}{6}} \times \dfrac{\overset{4}{24}}{\underset{5}{25}} = \dfrac{4}{5}$

㉡ $3\frac{1}{2} \times 5 = \frac{7}{2} \times 5 = \frac{35}{2} = 17\frac{1}{2}$

㉢ $2\frac{2}{7} \times 1\frac{5}{14} = \frac{16}{7} \times \frac{\overset{8}{19}}{\underset{7}{14}} = \frac{152}{49} = 3\frac{5}{49}$

㉣ $11 \times \frac{7}{22} = \frac{\overset{1}{11}}{1} \times \frac{7}{\underset{2}{22}} = \frac{7}{2} = 3\frac{1}{2}$

답 ㉠ $\dfrac{4}{5}$ ㉡ $17\frac{1}{2}$ ㉢ $3\frac{5}{49}$ ㉣ $3\frac{1}{2}$

3 ⫶ 합동과 대칭

07 도형의 합동

p. 35~37

> 예제 따라 풀어보는 연산

01 가   **02** 나   **03** 가

04 나   **05** 점 ㅂ, 변 ㄴㄱ, 각 ㄴㄷㄹ

06 점 ㄷ, 변 ㅇㅁ, 각 ㅅㅂㅁ

07 점 ㅇ, 변 ㅅㅌ, 각 ㅌㅅㅇ

08 점 ㅁ, 변 ㄹㅁ, 각 ㄷㄴㄱ

> 스스로 풀어보는 연산

09 나   **10** 다   **11** 다

12 라   **13** 점 ㄹ, 변 ㄹㅁ, 각 ㄷㄱㄴ

14 점 ㅇ, 변 ㅂㅅ, 각 ㄹㄷㄴ

15 점 ㄱ, 변 ㅁㅂ, 각 ㅇㅅㅂ

16 점 ㅁ, 변 ㄹㄱ, 각 ㅅㅂㅁ

17 3, 3, 3   **18** 4, 4, 4   **19** 4, 4, 4

20 5, 5, 5

> 응용 연산

21 60°   **22** 60°   **23** 6 cm

24 3 cm   **25** 26 cm   **26** 46 cm

27 9   **28** 12

---

01 답 가

왼쪽 도형을 포개었을 때 완전히 겹치는 도형은 **가**입니다.

02 답 나

왼쪽 도형을 포개었을 때 완전히 겹치는 도형은 **나**입니다.

03 답 가

왼쪽 도형을 포개었을 때 완전히 겹치는 도형은 **가**입니다.

04 답 나

왼쪽 도형을 포개었을 때 완전히 겹치는 도형은 **나**입니다.

09 답 나

도형을 서로 포개었을 때 완전히 겹치지 않는 도형은 **나**입니다.

10 답 다

도형을 서로 포개었을 때 완전히 겹치지 않는 도형은 **다**입니다.

11 답 다

도형을 서로 포개었을 때 완전히 겹치지 않는 도형은 **다**입니다.

12 답 라

도형을 서로 포개었을 때 완전히 겹치지 않는 도형은 **라**입니다.

17 답 3, 3, 3

두 도형은 서로 합동인 삼각형이므로 대응점과 대응변, 대응각이 각각 3쌍 있습니다.

18 답 4, 4, 4

두 도형은 서로 합동인 사각형이므로 대응점과 대응변, 대응각이 각각 4쌍 있습니다.

19 답 4, 4, 4

두 도형은 서로 합동인 사각형이므로 대응점과 대응변, 대응각이 각각 4쌍 있습니다.

20 답 5, 5, 5

두 도형은 서로 합동인 오각형이므로 대응점과 대응변, 대응각이 각각 5쌍 있습니다.

21 답 60°

각 ㅁㄹㅂ의 대응각은 각 ㄷㄱㄴ입니다.
따라서 각 ㅁㄹㅂ의 크기는 60°입니다.

22 답 60°

각 ㅂㅅㅇ의 대응각은 각 ㄷㄴㄱ입니다.
각 ㄴㄱㄹ의 대응각은 각 ㅅㅇㅁ입니다.
따라서 각 ㅂㅅㅇ의 크기는
$360° - (130° + 80° + 90°) = 60°$입니다.

23 답 6 cm

변 ㄱㄴ의 대응변은 변 ㅂㅁ입니다.
따라서 변 ㄱㄴ의 길이는 6 cm입니다.

24 답 3 cm

변 ㅁㅂ의 대응변은 변 ㄹㄷ입니다.
따라서 변 ㅁㅂ의 길이는 3 cm입니다.

25 답 26 cm

변 ㄱㄴ의 대응변은 변 ㅁㅂ이므로 변 ㄱㄴ의 길이는
6 cm입니다. 변 ㄹㄷ의 대응변은 변 ㅇㅅ이므로
변 ㄹㄷ의 길이는 8 cm입니다.
따라서 사각형 ㄱㄴㄷㄹ의 둘레는
3+6+9+8=26(cm)입니다.

26 답 46 cm

변 ㄱㄹ의 대응변은 변 ㅇㅁ이므로 변 ㄱㄹ의 길이는
9 cm입니다. 변 ㄹㄷ의 대응변은 변 ㅁㅂ이므로
변 ㄹㄷ의 길이는 11 cm입니다.
따라서 사각형 ㄱㄴㄷㄹ의 둘레는
14+12+11+9=46(cm)입니다.

27 답 9

변 ㅁㅂ의 대응변은 변 ㄷㄹ입니다.
사각형 ㄱㄴㄷㄹ의 둘레가 30 cm이므로 변 ㄷㄹ의
길이는 30-(7+5+9)=9(cm)입니다.
따라서 변 ㅁㅂ의 길이는 9 cm입니다.

28 답 12

삼각형 ㄱㄴㄷ의 둘레가 36 cm이므로 삼각형 ㅁㅂㄹ의
둘레도 36 cm입니다.
변 ㅁㅂ의 대응변은 변 ㄱㄴ이므로 변 ㅁㅂ의 길이는
8 cm입니다.
따라서 변 ㄹㅁ의 길이는 36-(16+8)=12(cm)입니
다.

08 선대칭도형

p. 39~41

> 예제 따라 풀어보는 연산

01 ○   **02** ×   **03** ○

04 ○   **05** 풀이 참조   **06** 풀이 참조

07 풀이 참조   **08** 풀이 참조   **09** 3개

10 5개   **11** 2개   **12** 4개

> 스스로 풀어보는 연산

13 ㉠, ㉢, ㉣, ㉤

14 ㉠, ㉡, ㉢, ㉤   **15** 풀이 참조

16 풀이 참조   **17** 풀이 참조   **18** 풀이 참조

19 1개   **20** 6개   **21** 2개

22 2개

> 응용 연산

23 점 ㄷ, 변 ㄷㅂ, 각 ㅁㄹㄷ

24 점 ㅇ, 변 ㅅㅂ, 각 ㅅㅂㅁ

25 (위에서부터) 4, 5, 8

26 (위에서부터) 8, 6   **27** 120

28 110   **29** 풀이 참조   **30** 풀이 참조

01 답 ○

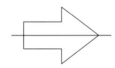

한 직선을 따라 접어서 완전히 포개어지는 도형이므
로 선대칭도형이 맞습니다.

02 답 ×

한 직선을 따라 접어서 완전히 포개어지지 않으므로
선대칭도형이 아닙니다.

03 답 ○

한 직선을 따라 접어서 완전히 포개어지는 도형이므
로 선대칭도형이 맞습니다.

04 답 ○

한 직선을 따라 접어서 완전히 포개어지는 도형이므
로 선대칭도형이 맞습니다.

05 답 풀이 참조

06 답 풀이 참조

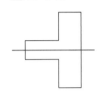

07 답 풀이 참조

08 답 풀이 참조

09 답 3개

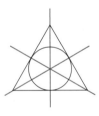

10 답 5개

11 답 2개

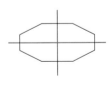

12 답 4개

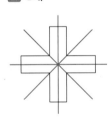

13 답 ㉠, ㉡, ㉤, ㉫

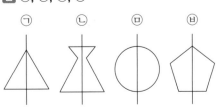

14 답 ㉠, ㉡, ㉢, ㉤

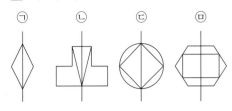

15 답 풀이 참조

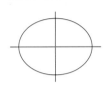

16 답 풀이 참조

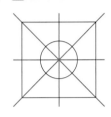

17 답 풀이 참조

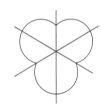

18 답 풀이 참조

19 답 1개

20 답 6개

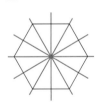

21 답 2개

22 답 2개

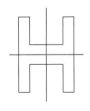

25 답 (위에서부터) 4, 5, 8
선대칭도형에서 대응변의 길이는 서로 같습니다.

26 답 (위에서부터) 8, 6
선대칭도형에서 대응변의 길이는 서로 같습니다.

27 답 120

선대칭도형에서 대응각의 크기는 서로 같습니다.

28 답 110

선대칭도형에서 대응각의 크기는 서로 같습니다.

29 답 풀이 참조

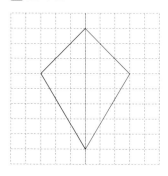

30 답 풀이 참조

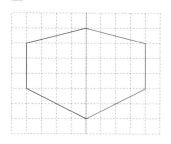

09 점대칭도형

p. 43~45

> 예제 따라 풀어보는 연산

01 ○   **02** ×   **03** ×

04 ○   **05** 풀이 참조   **06** 풀이 참조

07 풀이 참조   **08** 풀이 참조

09 점 ㅁ, 변 ㄹㄷ, 각 ㅁㅂㄱ

10 점 ㅅ, 변 ㅁㄹ, 각 ㄴㄷㄹ

> 스스로 풀어보는 연산

11 ⓜ, ⓗ   **12** ⓙ, ⓛ, ⓜ, ⓗ   **13** 풀이 참조

14 풀이 참조   **15** 풀이 참조   **16** 풀이 참조

17 점 ㄹ, 변 ㅁㅂ, 각 ㅁㅂㄱ

18 점 ㅂ, 변 ㄹㅁ, 각 ㄱㄴㄷ

19 점 ㄹ, 변 ㄷㄴ, 각 ㄷㄹㄱ

20 점 ㄷ, 변 ㅂㄱ, 각 ㄴㄱㅂ

> 응용 연산

21 7   **22** 10   **23** 115

24 100   **25** 40 cm   **26** 36 cm

27 풀이 참조   **28** 풀이 참조

01 답 ○

한 점을 중심으로 180° 돌렸을 때 처음 도형과 완전히 겹치는 도형이므로 점대칭도형이 맞습니다.

02 답 ×

한 점을 중심으로 180° 돌렸을 때 처음 도형과 완전히 겹치지 않으므로 점대칭도형이 아닙니다.

03 답 ×

한 점을 중심으로 180° 돌렸을 때 처음 도형과 완전히 겹치지 않으므로 점대칭도형이 아닙니다.

04 답 ○

한 점을 중심으로 180° 돌렸을 때 처음 도형과 완전히 겹치는 도형이므로 점대칭도형이 맞습니다.

05 답 풀이 참조

06 답 풀이 참조

07 답 풀이 참조

08 답 풀이 참조

11 답 ⑩, ⑭

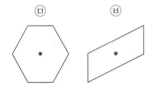

12 답 ㉠, ㉡, ⑩, ⑭

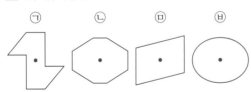

13 답 풀이 참조

14 답 풀이 참조

15 답 풀이 참조

16 답 풀이 참조

21 답 7

점대칭도형에서 대응변의 길이는 서로 같습니다.

22 답 10

점대칭도형에서 대응변의 길이는 서로 같습니다.

23 답 115

점대칭도형에서 대응각의 크기는 서로 같습니다.

24 답 100

점대칭도형에서 대응각의 크기는 서로 같습니다.

25 답 40 cm

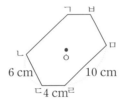

점 ㅇ을 대칭의 중심으로 하는 점대칭도형입니다.
(변 ㄱㄴ)=(변 ㄹㅁ)=10 cm
(변 ㄱㅂ)=(변 ㄹㄷ)=4 cm
(변 ㅂㅁ)=(변 ㄷㄴ)=6 cm
따라서 도형의 둘레는
10+10+4+4+6+6=40(cm)입니다.

26 답 36 cm

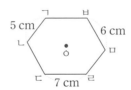

점 ㅇ을 대칭의 중심으로 하는 점대칭도형입니다.
(변 ㄱㅂ)=(변 ㄹㄷ)=7 cm
(변 ㄴㄷ)=(변 ㅁㅂ)=6 cm
(변 ㄹㅁ)=(변 ㄱㄴ)=5 cm
따라서 도형의 둘레는
7+7+6+6+5+5=36(cm)입니다.

27 답 풀이 참조

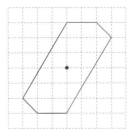

28 답 풀이 참조

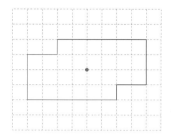

p. 46

재미있게, 우리 연산하자!

[1] 예

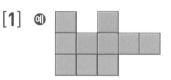

[2] 예

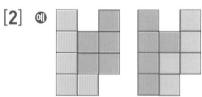

[3] 예

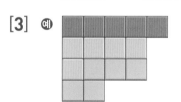

[4] 예

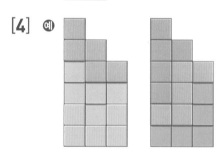

4 ::: 소수의 곱셈

10 (소수) × (자연수)

p. 49~51

> 예제 따라 풀어보는 연산

01 1.5   **02** 2.4   **03** 3.6

04 11.5   **05** 0.82   **06** 3.96

07 4.2   **08** 3.2   **09** 6.5

10 9.3   **11** 0.88   **12** 3.15

> 스스로 풀어보는 연산

13 2.7   **14** 3.5   **15** 5.4

16 6.4   **17** 14.6   **18** 18

19 19.6   **20** 24.3   **21** 2.04

22 2   **23** 10.85   **24** 16.92

25 25.55   **26** 9.72

> 응용 연산

27 (위에서부터) 7.8, 6.08

28 (위에서부터) 2.52, 23.5   **29** >

30 <   **31** ㉠, ㉡, ㉢   **32** ㉡, ㉢, ㉠

33 풀이 참조   **34** 풀이 참조

01 답 1.5

$$0.3 \times 5 = \frac{3}{10} \times 5 = \frac{3 \times 5}{10} = \frac{15}{10} = 1.5$$

02 답 2.4

$$0.4 \times 6 = \frac{4}{10} \times 6 = \frac{4 \times 6}{10} = \frac{24}{10} = 2.4$$

03 답 3.6

$$1.2 \times 3 = \frac{12}{10} \times 3 = \frac{12 \times 3}{10} = \frac{36}{10} = 3.6$$

04 답 11.5

$$2.3 \times 5 = \frac{23}{10} \times 5 = \frac{23 \times 5}{10} = \frac{115}{10} = 11.5$$

05 답 0.82

$$0.41 \times 2 = \frac{41}{100} \times 2 = \frac{41 \times 2}{100} = \frac{82}{100} = 0.82$$

06 답 3.96

$$1.32 \times 3 = \frac{132}{100} \times 3 = \frac{132 \times 3}{100} = \frac{396}{100} = 3.96$$

07 답 4.2

0.6은 0.1이 6개이고 0.6×7은
0.1이 6×7=42(개)이므로 0.6×7=4.2입니다.

08 답 3.2

0.8은 0.1이 8개이고 0.8×4는
0.1이 8×4=32(개)이므로 0.8×4=3.2입니다.

09 답 6.5

1.3은 0.1이 13개이고 1.3×5는
0.1이 13×5=65(개)이므로 1.3×5=6.5입니다.

10 답 9.3

3.1은 0.1이 31개이고 3.1×3은
0.1이 31×3=93(개)이므로 3.1×3=9.3입니다.

11 답 0.88

0.22는 0.01이 22개이고 0.22×4는 0.01이
22×4=88(개)이므로 0.22×4=0.88입니다.

12 답 3.15

1.05는 0.01이 105개이고 1.05×3은 0.01이
105×3=315(개)이므로 1.05×3=3.15입니다.

13 답 2.7

0.9는 0.1이 9개이고 0.9×3은
0.1이 9×3=27(개)이므로 0.9×3=2.7입니다.

14 답 3.5

0.5는 0.1이 5개이고 0.5×7은
0.1이 5×7=35(개)이므로 0.5×7=3.5입니다.

15 답 5.4

0.6은 0.1이 6개이고 0.6×9는
0.1이 6×9=54(개)이므로 0.6×9=5.4입니다.

16 답 6.4

0.8은 0.1이 8개이고 0.8×8은
0.1이 8×8=64(개)이므로 0.8×8=6.4입니다.

17 답 14.6

7.3은 0.1이 73개이고 7.3×2는 0.1이
73×2=146(개)이므로 7.3×2=14.6입니다.

18 답 18

3.6은 0.1이 36개이고 3.6×5는 0.1이
36×5=180(개)이므로 3.6×5=18입니다.

19 답 19.6

2.8은 0.1이 28개이고 2.8×7은 0.1이
28×7=196(개)이므로 2.8×7=19.6입니다.

20 답 24.3

8.1은 0.1이 81개이고 8.1×3은 0.1이
81×3=243(개)이므로 8.1×3=24.3입니다.

21 답 2.04

0.68은 0.01이 68개이고 0.68×3은 0.01이
68×3=204(개)이므로 0.68×3=2.04입니다.

22 답 2

0.25는 0.01이 25개이고 0.25×8은 0.01이
25×8=200(개)이므로 0.25×8=2입니다.

23 답 10.85

2.17은 0.01이 217개이고 2.17×5는 0.01이
217×5=1085(개)이므로 2.17×5=10.85입니다.

24 답 16.92

4.23은 0.01이 423개이고 4.23×4는 0.01이
423×4=1692(개)이므로 4.23×4=16.92입니다.

25 답 25.55

3.65는 0.01이 365개이고 3.65×7은 0.01이
365×7=2555(개)이므로 3.65×7=25.55입니다.

26 답 9.72

1.08은 0.01이 108개이고 1.08×9는 0.01이
108×9=972(개)이므로 1.08×9=9.72입니다.

27 답 (위에서부터) 7.8, 6.08

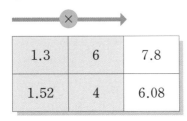

| 1.3 | 6 | 7.8 |
| 1.52 | 4 | 6.08 |

28 답 (위에서부터) 2.52, 23.5

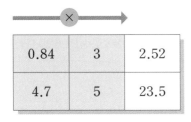

| 0.84 | 3 | 2.52 |
| 4.7 | 5 | 23.5 |

29 답 >

$0.9 \times 8 = \dfrac{9}{10} \times 8 = \dfrac{9 \times 8}{10} = \dfrac{72}{10} = 7.2$

$1.42 \times 5 = \dfrac{142}{100} \times 5 = \dfrac{142 \times 5}{100} = \dfrac{710}{100} = 7.1$

따라서 ○ 안에 알맞은 것은 >입니다.

30 답 <

$2.5 \times 6 = \dfrac{25}{10} \times 6 = \dfrac{25 \times 6}{10} = \dfrac{150}{10} = 15$

$2.13 \times 9 = \dfrac{213}{100} \times 9 = \dfrac{213 \times 9}{100} = \dfrac{1917}{100} = 19.17$

따라서 ○ 안에 알맞은 것은 <입니다.

31 답 ㉠, ㉡, ㉢

㉠ $0.8 \times 7 = \dfrac{8}{10} \times 7 = \dfrac{8 \times 7}{10} = \dfrac{56}{10} = 5.6$

㉡ $1.3 \times 4 = \dfrac{13}{10} \times 4 = \dfrac{13 \times 4}{10} = \dfrac{52}{10} = 5.2$

㉢ $0.56 \times 6 = \dfrac{56}{100} \times 6 = \dfrac{56 \times 6}{100} = \dfrac{336}{100} = 3.36$

따라서 계산 결과가 큰 것부터 차례대로 기호를 쓰면
㉠, ㉡, ㉢입니다.

32 답 ㉡, ㉢, ㉠

㉠ $0.91 \times 4 = \dfrac{91}{100} \times 4 = \dfrac{91 \times 4}{100} = \dfrac{364}{100} = 3.64$

㉡ $0.88 \times 7 = \dfrac{88}{100} \times 7 = \dfrac{88 \times 7}{100} = \dfrac{616}{100} = 6.16$

㉢ $2.7 \times 2 = \dfrac{27}{10} \times 2 = \dfrac{27 \times 2}{10} = \dfrac{54}{10} = 5.4$

따라서 계산 결과가 큰 것부터 차례대로 기호를 쓰면
㉡, ㉢, ㉠입니다.

33 답

$1.8 \times 3 = \dfrac{18}{10} \times 3 = \dfrac{18 \times 3}{10} = \dfrac{54}{10} = 5.4$

$2.4 \times 6 = \dfrac{24}{10} \times 6 = \dfrac{24 \times 6}{10} = \dfrac{144}{10} = 14.4$

$1.09 \times 5 = \dfrac{109}{100} \times 5 = \dfrac{109 \times 5}{100} = \dfrac{545}{100} = 5.45$

34 답

$2.6 \times 3 = \dfrac{26}{10} \times 3 = \dfrac{26 \times 3}{10} = \dfrac{78}{10} = 7.8$

$0.54 \times 3 = \dfrac{54}{100} \times 3 = \dfrac{54 \times 3}{100} = \dfrac{162}{100} = 1.62$

$3.42 \times 7 = \dfrac{342}{100} \times 7 = \dfrac{342 \times 7}{100} = \dfrac{2394}{100} = 23.94$

11 (자연수)×(소수)

p. 53~55

> 예제 따라 풀어보는 연산

01 2.1	**02** 4	**03** 6.6
04 10.8	**05** 1.76	**06** 9.04
07 3.4	**08** 9.5	**09** 14.4
10 28	**11** 6.03	**12** 6.48

> 스스로 풀어보는 연산

13 7	**14** 8.4	**15** 10.4
16 13.2	**17** 5.5	**18** 9.1
19 37.8	**20** 39	**21** 0.68
22 3.42	**23** 3.72	**24** 4.7
25 6.6	**26** 31.2	

> 응용 연산

27 (위에서부터) 7.8, 3.55

28 (위에서부터) 7.2, 37.44   **29** ㉡

30 ㉡   **31** 주하   **32** 준열

33 풀이 참조   **34** 풀이 참조

---

01 답 2.1

$$3 \times 0.7 = 3 \times \frac{7}{10} = \frac{3 \times 7}{10} = \frac{21}{10} = 2.1$$

02 답 4

$$8 \times 0.5 = 8 \times \frac{5}{10} = \frac{8 \times 5}{10} = \frac{40}{10} = 4$$

03 답 6.6

$$2 \times 3.3 = 2 \times \frac{33}{10} = \frac{2 \times 33}{10} = \frac{66}{10} = 6.6$$

04 답 10.8

$$6 \times 1.8 = 6 \times \frac{18}{10} = \frac{6 \times 18}{10} = \frac{108}{10} = 10.8$$

05 답 1.76

$$4 \times 0.44 = 4 \times \frac{44}{100} = \frac{4 \times 44}{100} = \frac{176}{100} = 1.76$$

06 답 9.04

$$8 \times 1.13 = 8 \times \frac{113}{100} = \frac{8 \times 113}{100} = \frac{904}{100} = 9.04$$

07 답 3.4

$$2 \times 17 = 34 \Rightarrow 2 \times 1.7 = 3.4$$

08 답 9.5

$$5 \times 19 = 95 \Rightarrow 5 \times 1.9 = 9.5$$

09 답 14.4

$$24 \times 6 = 144 \Rightarrow 24 \times 0.6 = 14.4$$

10 답 28

$$35 \times 8 = 280 \Rightarrow 35 \times 0.8 = 28$$

11 답 6.03

$$9 \times 67 = 603 \Rightarrow 9 \times 0.67 = 6.03$$

12 답 6.48

$$6 \times 108 = 648 \Rightarrow 6 \times 1.08 = 6.48$$

13 답 7

$$5 \times 14 = 70 \Rightarrow 5 \times 1.4 = 7$$

14 답 8.4

$$7 \times 12 = 84 \Rightarrow 7 \times 1.2 = 8.4$$

15 답 10.4

$$8 \times 13 = 104 \Rightarrow 8 \times 1.3 = 10.4$$

16 답 13.2

$$6 \times 22 = 132 \Rightarrow 6 \times 2.2 = 13.2$$

17 답 5.5

$$11 \times 5 = 55 \Rightarrow 11 \times 0.5 = 5.5$$

18 답 9.1

$$13 \times 7 = 91 \Rightarrow 13 \times 0.7 = 9.1$$

19 답 37.8

$21 \times 18 = 378 \Rightarrow 21 \times 1.8 = 37.8$

20 답 39

$15 \times 26 = 390 \Rightarrow 15 \times 2.6 = 39$

21 답 0.68

$4 \times 17 = 68 \Rightarrow 4 \times 0.17 = 0.68$

22 답 3.42

$9 \times 38 = 342 \Rightarrow 9 \times 0.38 = 3.42$

23 답 3.72

$3 \times 124 = 372 \Rightarrow 3 \times 1.24 = 3.72$

24 답 4.7

$2 \times 235 = 470 \Rightarrow 2 \times 2.35 = 4.7$

25 답 6.6

$30 \times 22 = 660 \Rightarrow 30 \times 0.22 = 6.6$

26 답 31.2

$20 \times 156 = 3120 \Rightarrow 20 \times 1.56 = 31.2$

27 답 (위에서부터) 7.8, 3.55

$\times$		
13	0.6	7.8
5	0.71	3.55

28 답 (위에서부터) 7.2, 37.44

$\times$		
4	1.8	7.2
16	2.34	37.44

29 답 ㉡

㉠ 7의 0.64 ⇨ 7의 0.7배인 4.9보다 작습니다.
㉡ 8의 0.91배 ⇨ 8의 0.9배인 7.2보다 큽니다.
㉢ 7×0.99 ⇨ 7의 1배인 7보다 작습니다.
따라서 계산 결과가 7보다 큰 것은 ㉡입니다.

30 답 ㉡

㉠ 6의 1.02배 ⇨ 6의 1.1배인 6.6보다 작습니다.
㉡ 4×2.01 ⇨ 4의 2배인 8보다 큽니다.
㉢ 2의 3.15 ⇨ 2의 3.2배인 6.4보다 작습니다.
따라서 계산 결과가 7보다 큰 것은 ㉡입니다.

31 답 주하

주하: $20 \times 0.8 = 20 \times \dfrac{8}{10} = \dfrac{20 \times 8}{10} = \dfrac{160}{10} = 16$

민지: $24 \times 0.5 = 24 \times \dfrac{5}{10} = \dfrac{24 \times 5}{10} = \dfrac{120}{10} = 12$

따라서 잘못 계산한 사람은 주하입니다.

32 답 준열

주혁: $48 \times 0.06 = 48 \times \dfrac{6}{100} = \dfrac{48 \times 6}{100} = \dfrac{288}{100}$
$\qquad\qquad = 2.88$

준열: $7 \times 0.12 = 7 \times \dfrac{12}{100} = \dfrac{7 \times 12}{100} = \dfrac{84}{100} = 0.84$

따라서 잘못 계산한 사람은 준열입니다.

33 답

$46 \times 0.07 = 46 \times \dfrac{7}{100} = \dfrac{46 \times 7}{100} = \dfrac{322}{100} = 3.22$

$29 \times 0.03 = 29 \times \dfrac{3}{100} = \dfrac{29 \times 3}{100} = \dfrac{87}{100} = 0.87$

$35 \times 0.7 = 35 \times \dfrac{7}{10} = \dfrac{35 \times 7}{10} = \dfrac{245}{10} = 24.5$

34 답

$12 \times 4.5 = 12 \times \dfrac{45}{10} = \dfrac{12 \times 45}{10} = \dfrac{540}{10} = 54$

$34 \times 1.9 = 34 \times \dfrac{19}{10} = \dfrac{34 \times 19}{10} = \dfrac{646}{10} = 64.6$

$60 \times 1.47 = 60 \times \dfrac{147}{100} = \dfrac{60 \times 147}{100} = \dfrac{8820}{100} = 88.2$

12 (1보다 작은 소수)×(1보다 작은 소수)

p. 57~59

> 예제 따라 풀어보는 연산

01 0.06 **02** 0.32 **03** 0.2

04 0.27 **05** 0.084 **06** 0.426

07 0.56 **08** 0.3 **09** 0.245

10 0.192 **11** 0.116 **12** 0.208

> 스스로 풀어보는 연산

13 0.21 **14** 0.72 **15** 0.16

16 0.48 **17** 0.15 **18** 0.315

19 0.165 **20** 0.426 **21** 0.018

22 0.144 **23** 0.344 **24** 0.196

25 0.264 **26** 0.36

> 응용 연산

27 0.28, 0.252

28 0.21, 0.084 **29** >

30 > **31** 0.28 **32** 0.198

33 ㉠ 9, ㉡ 54, ㉢ 0.54

34 ㉠ 7, ㉡ 203, ㉢ 0.203

---

01 답 0.06

$$0.2 \times 0.3 = \frac{2}{10} \times \frac{3}{10} = \frac{6}{100} = 0.06$$

02 답 0.32

$$0.4 \times 0.8 = \frac{4}{10} \times \frac{8}{10} = \frac{32}{100} = 0.32$$

03 답 0.2

$$0.5 \times 0.4 = \frac{5}{10} \times \frac{4}{10} = \frac{20}{100} = 0.2$$

04 답 0.27

$$0.3 \times 0.9 = \frac{3}{10} \times \frac{9}{10} = \frac{27}{100} = 0.27$$

05 답 0.084

$$0.42 \times 0.2 = \frac{42}{100} \times \frac{2}{10} = \frac{84}{1000} = 0.084$$

06 답 0.426

$$0.6 \times 0.71 = \frac{6}{10} \times \frac{71}{100} = \frac{426}{1000} = 0.426$$

07 답 0.56

$7 \times 8 = 56 \Rightarrow 0.7 \times 0.8 = 0.56$

08 답 0.3

$6 \times 5 = 30 \Rightarrow 0.6 \times 0.5 = 0.3$

09 답 0.245

$7 \times 35 = 245 \Rightarrow 0.7 \times 0.35 = 0.245$

10 답 0.192

$8 \times 24 = 192 \Rightarrow 0.8 \times 0.24 = 0.192$

11 답 0.116

$2 \times 58 = 116 \Rightarrow 0.2 \times 0.58 = 0.116$

12 답 0.208

$52 \times 4 = 208 \Rightarrow 0.52 \times 0.4 = 0.208$

13 답 0.21

$7 \times 3 = 21 \Rightarrow 0.7 \times 0.3 = 0.21$

14 답 0.72

$8 \times 9 = 72 \Rightarrow 0.8 \times 0.9 = 0.72$

15 답 0.16

$4 \times 4 = 16 \Rightarrow 0.4 \times 0.4 = 0.16$

16 답 0.48

$6 \times 8 = 48 \Rightarrow 0.6 \times 0.8 = 0.48$

17 답 0.15

$25 \times 6 = 150 \Rightarrow 0.25 \times 0.6 = 0.15$

18 답 0.315

$45 \times 7 = 315 \Rightarrow 0.45 \times 0.7 = 0.315$

19 답 0.165

$55 \times 3 = 165 \Rightarrow 0.55 \times 0.3 = 0.165$

20 답 0.426

$71 \times 6 = 426 \Rightarrow 0.71 \times 0.6 = 0.426$

21 답 0.018

$2 \times 9 = 18 \Rightarrow 0.02 \times 0.9 = 0.018$

22 답 0.144

$36 \times 4 = 144 \Rightarrow 0.36 \times 0.4 = 0.144$

23 답 0.344

$4 \times 86 = 344 \Rightarrow 0.4 \times 0.86 = 0.344$

24 답 0.196

$7 \times 28 = 196 \Rightarrow 0.7 \times 0.28 = 0.196$

25 답 0.264

$8 \times 33 = 264 \Rightarrow 0.8 \times 0.33 = 0.264$

26 답 0.36

$72 \times 5 = 360 \Rightarrow 0.72 \times 0.5 = 0.36$

27 답 0.28, 0.252

$7 \times 4 = 28 \Rightarrow 0.7 \times 0.4 = 0.28$
$28 \times 9 = 252 \Rightarrow 0.28 \times 0.9 = 0.252$

28 답 0.21, 0.084

$3 \times 7 = 21 \Rightarrow 0.3 \times 0.7 = 0.21$
$21 \times 4 = 84 \Rightarrow 0.21 \times 0.4 = 0.084$

29 답 >

$5 \times 35 = 175 \Rightarrow 0.5 \times 0.35 = 0.175$
$18 \times 9 = 162 \Rightarrow 0.18 \times 0.9 = 0.162$
따라서 ○ 안에 알맞은 것은 >입니다.

30 답 >

$7 \times 5 = 35 \Rightarrow 0.7 \times 0.5 = 0.35$
$84 \times 4 = 336 \Rightarrow 0.84 \times 0.4 = 0.336$
따라서 ○ 안에 알맞은 것은 >입니다.

31 답 0.28

가장 큰 수는 0.8이고 가장 작은 수는 0.35입니다.
따라서 가장 큰 수와 가장 작은 수의 곱은
$0.8 \times 0.35 = 0.28$입니다.

32 답 0.198

가장 큰 수는 0.9이고 가장 작은 수는 0.22입니다.
따라서 가장 큰 수와 가장 작은 수의 곱은
$0.9 \times 0.22 = 0.198$입니다.

33 답 ㉠ 9, ㉡ 54, ㉢ 0.54

$0.6 \times 0.9 = \dfrac{6}{10} \times \dfrac{9}{10} = \dfrac{54}{100} = 0.54$

34 답 ㉠ 7, ㉡ 203, ㉢ 0.203

$0.7 \times 0.29 = \dfrac{7}{10} \times \dfrac{29}{100} = \dfrac{203}{1000} = 0.203$

13 (1보다 큰 소수)×(1보다 큰 소수)

p. 61~63

> 예제 따라 풀어보는 연산

01 6.46	**02** 7.2	**03** 4.42
04 7.504	**05** 3.135	**06** 2.8
07 7.82	**08** 10.08	**09** 25.5
10 17.15	**11** 24.36	**12** 20.16

> 스스로 풀어보는 연산

13 56.58	**14** 10.81	**15** 6.5
16 5.39	**17** 10.53	**18** 9.38
19 17.28	**20** 22.36	**21** 3.488
22 6.512	**23** 23.712	**24** 13.797
25 5.332	**26** 7.272	

> 응용 연산

27 3.77, 6.409		
28 6.45, 18.06		**29** >
30 <	**31** 5.928	**32** 8.352
33 ㉡	**34** ㉡	

01 답 6.46

$1.7 \times 3.8 = \dfrac{17}{10} \times \dfrac{38}{10} = \dfrac{646}{100} = 6.46$

02 답 7.2

$1.6 \times 4.5 = \dfrac{16}{10} \times \dfrac{45}{10} = \dfrac{720}{100} = 7.2$

03 답 4.42

$3.4 \times 1.3 = \dfrac{34}{10} \times \dfrac{13}{10} = \dfrac{442}{100} = 4.42$

04 답 7.504

$5.36 \times 1.4 = \dfrac{536}{100} \times \dfrac{14}{10} = \dfrac{7504}{1000} = 7.504$

05 답 3.135

$1.65 \times 1.9 = \dfrac{165}{100} \times \dfrac{19}{10} = \dfrac{3135}{1000} = 3.135$

06 답 2.8

$1.12 \times 2.5 = \dfrac{112}{100} \times \dfrac{25}{10} = \dfrac{2800}{1000} = 2.8$

07 답 7.82

$34 \times 23 = 782 \Rightarrow 3.4 \times 2.3 = 7.82$

08 답 10.08

$56 \times 18 = 1008 \Rightarrow 5.6 \times 1.8 = 10.08$

09 답 25.5

$75 \times 34 = 2550 \Rightarrow 7.5 \times 3.4 = 25.5$

10 답 17.15

$35 \times 49 = 1715 \Rightarrow 3.5 \times 4.9 = 17.15$

11 답 24.36

$42 \times 58 = 2436 \Rightarrow 4.2 \times 5.8 = 24.36$

12 답 20.16

$84 \times 24 = 2016 \Rightarrow 8.4 \times 2.4 = 20.16$

13 답 56.58

$82 \times 69 = 5658 \Rightarrow 8.2 \times 6.9 = 56.58$

14 답 10.81

$23 \times 47 = 1081 \Rightarrow 2.3 \times 4.7 = 10.81$

15 답 6.5

$25 \times 26 = 650 \Rightarrow 2.5 \times 2.6 = 6.5$

16 답 5.39

$11 \times 49 = 539 \Rightarrow 1.1 \times 4.9 = 5.39$

17 답 10.53

$39 \times 27 = 1053 \Rightarrow 3.9 \times 2.7 = 10.53$

18 답 9.38

$14 \times 67 = 938 \Rightarrow 1.4 \times 6.7 = 9.38$

19 답 17.28

$18 \times 96 = 1728 \Rightarrow 1.8 \times 9.6 = 17.28$

20 답 22.36

$52 \times 43 = 2236 \Rightarrow 5.2 \times 4.3 = 22.36$

21 답 3.488

$218 \times 16 = 3488 \Rightarrow 2.18 \times 1.6 = 3.488$

22 답 6.512

$407 \times 16 = 6512 \Rightarrow 4.07 \times 1.6 = 6.512$

23 답 23.712

$624 \times 38 = 23712 \Rightarrow 6.24 \times 3.8 = 23.712$

24 답 13.797

$27 \times 511 = 13797 \Rightarrow 2.7 \times 5.11 = 13.797$

25 답 5.332

$124 \times 43 = 5332 \Rightarrow 1.24 \times 4.3 = 5.332$

26 답 7.272

$303 \times 24 = 7272 \Rightarrow 3.03 \times 2.4 = 7.272$

27 답 3.77, 6.409

$13 \times 29 = 377 \Rightarrow 1.3 \times 2.9 = 3.77$

$377 \times 17 = 6409 \Rightarrow 3.77 \times 1.7 = 6.409$

28 답 6.45, 18.06

$43 \times 15 = 645 \Rightarrow 4.3 \times 1.5 = 6.45$

$645 \times 28 = 18060 \Rightarrow 6.45 \times 2.8 = 18.06$

29 답 >

$1.3 \times 2.4 = 3.12, 2.8 \times 1.1 = 3.08$

따라서 ○ 안에 알맞은 것은 >입니다.

30 답 <

$6.2 \times 1.6 = 9.92, 3.16 \times 3.5 = 11.06$

따라서 ○ 안에 알맞은 것은 <입니다.

31 답 5.928

가장 큰 수는 5.7이고 가장 작은 수는 1.04입니다.
따라서 가장 큰 수와 가장 작은 수의 곱은
$5.7 \times 1.04 = 5.928$입니다.

32 답 8.352

가장 큰 수는 4.64이고 가장 작은 수는 1.8입니다.
따라서 가장 큰 수와 가장 작은 수의 곱은
$4.64 \times 1.8 = 8.352$입니다.

33 답 ㉡

㉠ 7.7의 0.5 ⇨ 8의 0.5배인 4보다 작습니다.
㉡ 3.1의 4.1배 ⇨ 3의 4배인 12보다 큽니다.
㉢ 3.96×2.9 ⇨ 4의 3배인 12보다 작습니다.
따라서 계산 결과가 12보다 큰 것은 ㉡입니다.

34 답 ㉡

㉠ 2.5의 3.8 ⇨ 2.5의 4배인 10보다 작습니다.
㉡ 12×1.01 ⇨ 12의 1배인 12보다 큽니다.
㉢ 5.1의 1.9배 ⇨ 5.1의 2배인 10.2보다 작습니다.
따라서 계산 결과가 12보다 큰 것은 ㉡입니다.

14 곱의 소수점 위치

p. 65~67

> 예제 따라 풀어보는 연산

01 2106, 21.06   **02** 792, 7.92

03 4836, 4.836   **04** 3094, 3.094

05 59860, 5.986   **06** 19440, 1.944

07 7.28, 0.728   **08** 6.75, 0.675

09 21.42, 2.142   **10** 32.39, 3.239

11 24.36, 0.2436   **12** 34.96, 0.3496

> 스스로 풀어보는 연산

13 1924, 19.24   **14** 1488, 14.88

15 1596, 15.96   **16** 2695, 2.695

17 2484, 2.484   **18** 59860, 59.86

19 16750, 1.675   **20** 41360, 4.136

21 6.46, 0.646   **22** 12.54, 1.254

23 15.04, 1.504   **24** 28.35, 2.835

25 1.357, 0.1357   **26** 1.023, 0.1023

> 응용 연산

27 10.8   **28** 9270

29 ㉢   **30** ㉠

31 22   **32** 0.18

33 풀이 참조   **34** 풀이 참조

27 답 10.8

$1.7 \times 9.1 = 15.47$이므로 ㉠$=9.1$

$1.7 \times 0.091 = 0.1547$이므로 ㉡$=1.7$

따라서 ㉠$+$㉡$=9.1+1.7=10.8$입니다.

28 답 9270

$170 \times 9.1 = 1547$이므로 ㉠$=170$

$1.7 \times 9100 = 15470$이므로 ㉡$=9100$

따라서 ㉠$+$㉡$=170+9100=9270$입니다.

29 답 ㉢

㉠ $0.094 \times 10 = 0.94$

㉡ $940 \times 0.001 - 0.94$

㉢ $9.4 \times 100 = 940$

㉣ $94 \times 0.01 = 0.94$

따라서 계산 결과가 다른 것은 ㉢입니다.

30 답 ㉠

㉠ $560 \times 0.01 = 5.6$

㉡ $5600 \times 0.1 = 560$

㉢ $0.56 \times 1000 = 560$

㉣ $5.6 \times 100 = 560$

따라서 계산 결과가 다른 것은 ㉠입니다.

31 답 22

94×0.22는 94×22의 계산 결과에서 소수점이 왼쪽으로 두 칸 옮겨진 것과 같습니다.

$0.94 \times \square$도 94×22의 계산 결과에서 소수점이 왼쪽으로 두 칸 옮겨진 것과 같아야 하므로 $\square$ 안에 알맞은 수는 22입니다.

32 답 0.18

0.36×18은 36×18의 계산 결과에서 소수점이 왼쪽으로 두 칸 옮겨진 것과 같습니다.

$36 \times \square$도 36×18의 계산 결과에서 소수점이 왼쪽으로 두 칸 옮겨진 것과 같아야 하므로 $\square$ 안에 알맞은 수는 0.18입니다.

33 답

$1.37 \times 1000 = 1370$

$1.37 \times 10 = 13.7$

$1.37 \times 100 = 137$

34 답

$680 \times 0.01 = 6.8$

$680 \times 0.001 = 0.68$

$680 \times 0.1 = 68$

재미있게, 우리 연산하자!

$4.2 \times 5 = 21$이므로 ❶은 21입니다.

❶$\times 0.6 = 21 \times 0.6 = 12.6$이므로 ❷는 12.6입니다.

❷$\times 1.6 = 12.6 \times 1.6 = 20.16$이므로 ❸은 20.16입니다.

❸$- 20 = 20.16 - 20 = 0.16$이므로 ❹는 0.16입니다.

❹$\times 0.3 = 0.16 \times 0.3 = 0.048$이므로 ❺는 0.048입니다.

❺의 100배, 즉 0.048의 100배는 4.8이므로 ❻은 4.8입니다.

❻$\times 3.2 = 4.8 \times 3.2 = 15.36$이므로 ❼은 15.36입니다.

❼$\times 5 = 15.36 \times 5 = 76.8$이므로 ❽은 76.8입니다.

❽의 10배, 즉 76.8의 10배는 768이므로 ❾는 768입니다.

❾$\times 0.725 = 768 \times 0.725 = 556.8$입니다.

따라서 ❿에 해당하는 수는 556.8입니다.

답 556.8

---

5 ::: 직육면체

15 직육면체와 정육면체

p. 71~73

> 예제 따라 풀어보는 연산

01 $\times$ **02** $\bigcirc$ **03** $\bigcirc$

04 $\times$ **05** $\times$ **06** $\bigcirc$

07 $\times$ **08** $\times$ **09** 3, 9, 7

10 3, 9, 7 **11** 3, 9, 7 **12** 3, 9, 7

> 스스로 풀어보는 연산

13 ⓛ, ⓔ, ⓜ **14** ⓜ

15 ⓖ, ⓒ, ⓔ, ⓜ **16** ⓒ, ⓜ

17 6, 12, 8, 직사각형, 서로 다릅니다.

18 6, 12, 8, 정사각형, 모두 같습니다.

> 응용 연산

19 풀이 참조 **20** 풀이 참조 **21** 120 cm

22 156 cm **23** 은우 **24** 예지

25 4 **26** 4

---

01 답 $\times$

직사각형 6개로 둘러싸여 있지 않으므로 직육면체가 아닙니다.

02 답 $\bigcirc$

직사각형 6개로 둘러싸여 있으므로 직육면체입니다.

03 답 $\bigcirc$

직사각형 6개로 둘러싸여 있으므로 직육면체입니다.

04 답 $\times$

직사각형 6개로 둘러싸여 있지 않으므로 직육면체가 아닙니다.

05 답 $\times$

정사각형 6개로 둘러싸여 있지 않으므로 정육면체가 아닙니다.

06 탑 ○

정사각형 6개로 둘러싸여 있으므로 정육면체입니다.

07 탑 ×

정사각형 6개로 둘러싸여 있지 않으므로 정육면체가
아닙니다.

08 탑 ×

정사각형 6개로 둘러싸여 있지 않으므로 정육면체가
아닙니다.

13 탑 ○, ○, ○

직사각형 6개로 둘러싸여 있는 도형은 ○, ○, ○입
니다.

14 탑 ○

정사각형 6개로 둘러싸여 있는 도형은 ○입니다.

15 탑 ○, ○, ○, ○

직사각형 6개로 둘러싸여 있는 도형은 ○, ○, ○, ○
입니다.

16 탑 ○, ○

정사각형 6개로 둘러싸여 있는 도형은 ○, ○입니다.

19 탑 풀이 참조

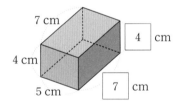

20 탑 풀이 참조

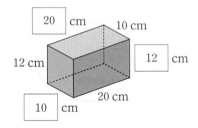

21 탑 120 cm

정육면체의 모서리의 길이는 모두 같으므로 모두
10 cm입니다.
따라서 모서리의 수는 12개이므로 모든 모서리의 길
이의 합은 10×12=120(cm)입니다.

22 탑 156 cm

정육면체의 모서리의 길이는 모두 같으므로 모두
13 cm입니다.
따라서 모서리의 수는 12개이므로 모든 모서리의 길
이의 합은 13×12=156(cm)입니다.

23 탑 은우

직육면체에서 선분으로 둘러싸인 부분은 면입니다.
따라서 바르게 설명한 사람은 은우입니다.

24 탑 예지

정육면체를 이루는 모든 면은 정사각형이므로 직육면
체라고 할 수 있습니다.
직육면체는 면의 모양이 직사각형이고 정육면체는 면
의 모양이 정사각형이므로 면의 모양이 서로 같지 않
을 수도 있습니다.
따라서 바르게 설명한 사람은 예지입니다.

25 탑 4

직육면체에서 모서리는 12개이고 꼭짓점은 8개입니
다. 직육면체에서 보이는 모서리는 9개이고 보이는 꼭
짓점은 7개이므로 보이지 않는 모서리는 12−9=3(개)
이고 보이지 않는 꼭짓점은 8−7=1(개)입니다.
따라서 직육면체에서 보이지 않는 모서리와 꼭짓점의
수의 합은 3+1=4입니다.

26 탑 4

정육면체에서 모서리는 12개이고 꼭짓점은 8개입니
다. 정육면체에서 보이는 모서리는 9개이고 보이는 꼭
짓점은 7개이므로 보이지 않는 모서리는 12−9=3(개)
이고 보이지 않는 꼭짓점은 8−7=1(개)입니다.
따라서 정육면체에서 보이지 않는 모서리와 꼭짓점의
수의 합은 3+1=4입니다.

16 직육면체의 성질과 겨냥도

p. 75~77

> 예제 따라 풀어보는 연산

01 풀이 참조　02 풀이 참조　03 풀이 참조

04 풀이 참조　05 풀이 참조　06 풀이 참조

07 풀이 참조　08 풀이 참조　09 풀이 참조

10 풀이 참조　11 풀이 참조　12 풀이 참조

> 스스로 풀어보는 연산

13 면 ㄱㄴㄷㄹ　14 면 ㄴㅂㅁㄱ　15 면 ㄱㅁㅇㄹ

16 면 ㄷㅅㅇㄹ

17 면 ㄴㅂㅁㄱ, 면 ㄴㅂㅅㄷ, 면 ㄷㅅㅇㄹ,
면 ㄱㅁㅇㄹ

18 면 ㄱㄴㄷㄹ, 면 ㄱㄴㅂㅁ, 면 ㄹㄷㅅㅇ,
면 ㅁㅂㅅㅇ

19 면 ㄴㅂㅅㄷ, 면 ㄱㄴㄷㄹ, 면 ㄱㅁㅇㄹ,
면 ㅁㅂㅅㅇ

20 면 ㄴㅂㅁㄱ, 면 ㄴㅂㅅㄷ, 면 ㄷㅅㅇㄹ,
면 ㄱㅁㅇㄹ

21 풀이 참조　22 풀이 참조

> 응용 연산

23 ㉢　　24 ㉣

25 면 ㄹㄱㄴㄷ, 면 ㄱㅁㅂㄴ, 면 ㄴㅂㅅㄷ

26 면 ㅁㅂㅅㅇ, 면 ㄴㅂㅅㄷ, 면 ㄴㅂㅁㄱ

27 10 cm　　28 24 cm　　29 20 cm

30 18 cm

01 답 풀이 참조

02 답 풀이 참조

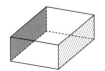

03 답 풀이 참조

04 답 풀이 참조

05 답 풀이 참조

예

06 답 풀이 참조

예

07 답 풀이 참조

예

08 답 풀이 참조

예

09 답 풀이 참조

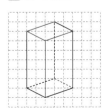

10 답 풀이 참조

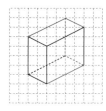

11 답 풀이 참조

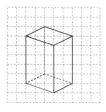

12 답 풀이 참조

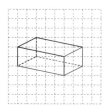

21 답 풀이 참조

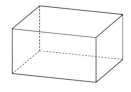

22 답 풀이 참조

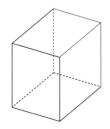

23 답 ㉢

㉢ 면 ㄷㅅㅇㄹ과 면 ㄴㅂㅅㄷ ▷ 서로 수직인 면

24 답 ㉣

㉣ 면 ㄱㄴㄷㄹ과 면 ㄹㅇㅅㄷ ▷ 서로 수직인 면

25 답 면 ㄹㄱㄴㄷ, 면 ㄱㅁㅂㄴ, 면 ㄴㅂㅅㄷ

직육면체에서 꼭짓점 ㄴ과 만나는 면은 꼭짓점 ㄴ을 중심으로 모두 직각입니다.
따라서 직육면체에서 꼭짓점 ㄴ과 만나는 면은 면 ㄹㄱㄴㄷ, 면 ㄱㅁㅂㄴ, 면 ㄴㅂㅅㄷ입니다.

26 답 면 ㅁㅂㅅㅇ, 면 ㄴㅂㅅㄷ, 면 ㄴㅂㅁㄱ

직육면체에서 꼭짓점 ㅂ과 만나는 면은 꼭짓점 ㅂ을 중심으로 모두 직각입니다.
따라서 직육면체에서 꼭짓점 ㅂ과 만나는 면은 면 ㅁㅂㅅㅇ, 면 ㄴㅂㅅㄷ, 면 ㄴㅂㅁㄱ입니다.

27 답 10 cm

직육면체에서 면 ㄱㄴㄷㄹ과 평행한 면은 면 ㅁㅂㅅㅇ입니다.
따라서 면 ㅁㅂㅅㅇ의 모서리의 길이의 합은 $2+3+2+3=10$(cm)입니다.

28 답 24 cm

직육면체에서 면 ㄷㅅㅇㄹ과 평행한 면은 면 ㄴㅂㅁㄱ입니다.
따라서 면 ㄴㅂㅁㄱ의 모서리의 길이의 합은 $8+4+8+4=24$(cm)입니다.

29 답 20 cm

직육면체의 겨냥도에서 보이지 않는 모서리의 길이는 7 cm가 1개, 8 cm가 1개, 5 cm가 1개입니다.
따라서 직육면체의 겨냥도에서 보이지 않는 모서리의 길이의 합은 $7+8+5=20$(cm)입니다.

30 답 18 cm

직육면체의 겨냥도에서 보이지 않는 모서리의 길이는 9 cm가 1개, 4 cm가 1개, 5 cm 1개입니다.
따라서 직육면체의 겨냥도에서 보이지 않는 모서리의 길이의 합은 $9+4+5=18$(cm)입니다.

17 정육면체와 직육면체의 전개도

p. 79~81

> 예제 따라 풀어보는 연산

01 ○   **02** ×   **03** ○

04 ○   **05** ○   **06** ○

07 ×   **08** ○

09 점 ㄹ과 만나는 점: 점 ㅂ, 점 ㅊ

선분 ㅁㅂ과 만나는 모서리: 선분 ㅁㄹ

면 나와 평행한 면: 면 라

면 가와 수직인 면: 면 나, 면 다, 면 라, 면 마

10 점 ㅌ과 만나는 점: 점 ㅎ

선분 ㅋㅊ과 만나는 모서리: 선분 ㄱㄴ

면 바와 평행한 면: 면 가

면 라와 수직인 면: 면 가, 면 다, 면 마, 면 바

> 스스로 풀어보는 연산

11 풀이 참조   **12** 풀이 참조   **13** 풀이 참조

14 풀이 참조   **15** 풀이 참조   **16** 풀이 참조

17 풀이 참조   **18** 풀이 참조

19 점 ㅁ과 만나는 점: 점 ㄷ

선분 ㅅㅇ과 만나는 모서리: 선분 ㄱㅎ

면 다와 평행한 면: 면 가

면 라와 수직인 면: 면 가, 면 나, 면 다, 면 마

20 점 ㅎ과 만나는 점: 점 ㅌ, 점 ㅊ

선분 ㄹㅁ과 만나는 모서리: 선분 ㅇㅅ

면 바와 평행한 면: 면 다

면 가와 수직인 면: 면 나, 면 다, 면 라, 면 바

21 점 ㄱ과 만나는 점: 점 ㅋ

선분 ㅁㅂ과 만나는 모서리: 선분 ㅈㅇ

면 마와 평행한 면: 면 다

면 나와 수직인 면: 면 가, 면 다, 면 마, 면 바

22 점 ㅈ과 만나는 점: 점 ㅋ

선분 ㅋㅌ과 만나는 모서리: 선분 ㅈㅇ

면 라와 평행한 면: 면 바

면 바와 수직인 면: 면 가, 면 나, 면 다, 면 마

> 응용 연산

23 풀이 참조   **24** 풀이 참조   **25** 풀이 참조

26 풀이 참조   **27** 풀이 참조   **28** 풀이 참조

29 2 cm   **30** 8 cm

02 답 ×

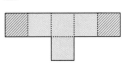

빗금 친 두 면이 겹치기 때문에 정육면체의 전개도가 아닙니다.

07 답 ×

면의 개수가 7개이므로 직육면체의 전개도가 아닙니다.

11 답 풀이 참조

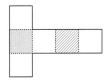

12 답 풀이 참조

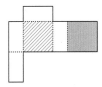

13 답 풀이 참조

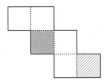

14 답 풀이 참조

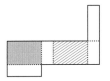

15 답 풀이 참조

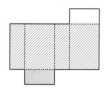

16 답 풀이 참조

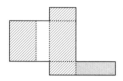

17 답 풀이 참조

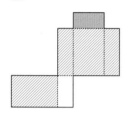

18 답 풀이 참조

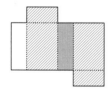

23 답 풀이 참조

예

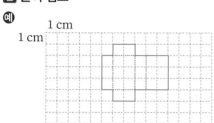

24 답 풀이 참조

예

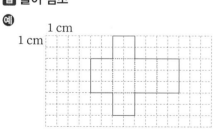

25 답 풀이 참조

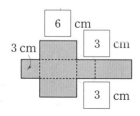

26 답 풀이 참조

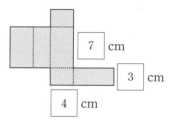

27 답 풀이 참조

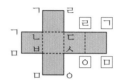

28 답 풀이 참조

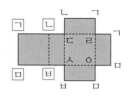

29 답 2 cm

선분 ㄴㄷ과 만나는 모서리는 선분 ㅇㅅ입니다.
(선분 ㄴㄷ)=(선분 ㅇㅅ)=2 cm
따라서 변 ㄴㄷ은 2 cm입니다.

30 답 8 cm

선분 ㅇㅈ과 만나는 모서리는 선분 ㅂㅁ입니다.
(선분 ㅇㅈ)=(선분 ㅂㅁ)=(선분 ㅌㅍ)=8 cm
따라서 변 ㅇㅈ은 8 cm입니다.

p. 82

재미있게, 우리 연산하자!

① 정육면체의 모서리는 12개이므로 구의역입니다.
② 정육면체의 꼭짓점은 8개이므로 역삼역입니다.
③ 직육면체의 한 밑면과 평행한 면은 1개이므로 강남역입니다.
④ 직육면체의 한 밑면과 수직인 면은 4개이므로 사당역입니다.
⑤ 직육면체의 한 꼭짓점에서 만나는 모서리는 3개이므로 봉천역입니다.

답 ① 구의역 ② 역삼역 ③ 강남역 ④ 사당역 ⑤ 봉천역

6 ::: 평균과 가능성

18 평균 구하기

p. 85~87

> 예제 따라 풀어보는 연산

01 6개   **02** 27개   **03** 11 ℃

04 50분   **05** 80   **06** 25

07 10   **08** 18

> 스스로 풀어보는 연산

09 650원   **10** 28명   **11** 15 ℃

12 5권   **13** 675 mm   **14** 89점

15 40 kg   **16** 16회   **17** 8명

18 20 ℃   **19** 220 mL   **20** 45분

> 응용 연산

21 민성이의 줄넘기 평균 기록: 27회

     예지의 줄넘기 평균 기록: 28회

22 예지   **23** 159권

24 만화책, 위인전, 시집   **25** 19점

26 풀이 참조

---

01 답 6개

$$(평균)=\frac{5+8+2+9+6}{5}=\frac{30}{5}=6(개)$$

02 답 27개

$$(평균)=\frac{25+29+24+27+30}{5}=\frac{135}{5}=27(개)$$

03 답 11 ℃

$$(평균)=\frac{11+14+9+12+9+10+12}{7}=\frac{77}{7}$$
$$=11(℃)$$

04 답 50분

$$(평균)=\frac{70+45+50+35}{4}=\frac{200}{4}=50(분)$$

05 답 80

평균을 80점으로 예상한 후 (80, 80), (70, 90)으로 수를 옮기고 짝지어 90점에서 10점을 70점에 나누어 주어 자료의 값을 고르게 하여 구한 점수의 평균은 80점입니다.

06 답 25

평균을 25초로 예상한 후 (25, 25), (19, 31)로 수를 옮기고 짝지어 31초에서 6초를 19초에 나누어 주어 자료의 값을 고르게 하여 구한 기록의 평균은 25초입니다.

07 답 10

평균을 10개로 예상한 후 (10, 10), (6, 14)로 수를 옮기고 짝지어 14개에서 4개를 6개에 나누어 주어 자료의 값을 고르게 하여 구한 기록의 평균은 10개입니다.

08 답 18

평균을 18쪽으로 예상한 후 18, (14, 22), (16, 20)으로 수를 옮기고 짝지어 22쪽에서 4쪽을 14쪽에 나누어 주고, 20쪽에서 2쪽을 16쪽에 나누어 주어 자료의 값을 고르게 하여 구한 쪽수의 평균은 18쪽입니다.

09 답 650원

$$(평균)=\frac{800+1000+300+500}{4}=\frac{2600}{4}$$
$$=650(원)$$

10 답 28명

$$(평균)=\frac{29+26+30+27+28}{5}=\frac{140}{5}=28(명)$$

11 답 15 ℃

$$(평균)=\frac{15+16+12+20+12}{5}=\frac{75}{5}=15(℃)$$

12 답 5권

$$(평균)=\frac{3+5+4+7+6}{5}=\frac{25}{5}=5(권)$$

13 답 675 mm

$$(평균)=\frac{500+700+650+850}{4}=\frac{2700}{4}$$
$$=675(mm)$$

14 답 89점

$$(평균)=\frac{96+95+82+83}{4}=\frac{356}{4}=89(점)$$

15 답 40 kg

평균을 40 kg으로 예상한 후 (40, 40) (36, 44)로 수를 옮기고 짝지어 44 kg에서 4 kg을 36 kg에 나누어 주어 자료의 값을 고르게 하여 구한 몸무게의 평균은 40 kg입니다.

16 답 16회

평균을 16회로 예상한 후 (16, 16), (14, 18)로 수를 옮기고 짝지어 18회에서 2회를 14회에 나누어 주어 자료의 값을 고르게 하여 구한 기록의 평균은 16회입니다.

17 답 8명

평균을 8명으로 예상한 후 (8, 8), (5, 11)로 수를 옮기고 짝지어 11명에서 3명을 5명에게 나누어 주어 자료의 값을 고르게 하여 구한 학생 수의 평균은 8명입니다.

18 답 20 ℃

평균을 20 ℃로 예상한 후 (20, 20), (15, 25)로 수를 옮기고 짝지어 25 ℃에서 5 ℃를 15 ℃에 나누어 주어 자료의 값을 고르게 하여 구한 기온의 평균은 20 ℃입니다.

19 답 220 mL

평균을 220 mL로 예상한 후 220, (200, 240), (210, 230)으로 수를 옮기고 짝지어 240 mL에서 20 mL를 200 mL에 나누어 주고, 230 mL에서 10 mL를 210 mL에 나누어 주어 자료의 값을 고르게 하여 구한 주스의 양의 평균은 220 mL입니다.

20 답 45분

평균을 45분으로 예상한 후 (45, 45), (40, 40, 55)로 수를 옮기고 짝지어 55분에서 5분을 40분에 각각 나누어 주어 자료의 값을 고르게 하여 구한 시간의 평균은 45분입니다.

21 답 민성이의 줄넘기 평균 기록: 27회
　　예지의 줄넘기 평균 기록: 28회

$$(민성이의 평균)=\frac{20+25+28+35}{4}=\frac{108}{4}$$
$$=27(회)$$
$$(예지의 평균)=\frac{16+24+32+40}{4}=\frac{112}{4}=28(회)$$

22 답 예지

민성이의 줄넘기 평균 기록은 27회이고 예지의 줄넘기 평균 기록은 28회이므로 예지가 더 잘했다고 볼 수 있습니다.

23 답 159권

$$(평균)=\frac{150+145+200+190+110}{5}=\frac{795}{5}$$
$$=159(권)$$

24 답 만화책, 위인전, 시집

판매량이 159권보다 적은 책은 만화책, 위인전, 시집입니다.
따라서 생산을 중지해야 할 책은 만화책, 위인전, 시집입니다.

25 답 19점

$$(평균)=\frac{15+18+16+25+21}{5}=\frac{95}{5}=19(점)$$

26 답 풀이 참조

호진이네 반이 다섯 경기 동안 얻은 점수의 평균은 19점입니다. 호진이네 반이 여섯 경기 동안 얻은 점수의 평균이 다섯 경기 동안 얻은 점수의 평균보다 높으려면 여섯 번째 경기에서는 19점보다 높은 점수를 얻어야 합니다.

19 평균 이용하기

p. 89~91

> 예제 따라 풀어보는 연산

01 풀이 참조 　　**02** 풀이 참조 　　**03** 75

04 18 　　　　　 **05** 172 　　　　**06** 285

> 스스로 풀어보는 연산

07 영찬 　　　　 **08** 주원 　　　　**09** 호동

10 준서 　　　　 **11** 14 　　　　　**12** 142

13 38 　　　　　 **14** 12 　　　　　**15** 35

16 76

> 응용 연산

17 형석이네 모둠, 1 kg　**18** 윤희네 가족, 10 mL

19 26번 　　　　　　　　**20** 41번

21 12권 　　　　　　　　**22** 20시간

---

01 답 풀이 참조

$(1반의 평균) = \dfrac{7+12+11+18}{4} = \dfrac{48}{4} = 12(개)$

$(2반의 평균) = \dfrac{16+17+10+13}{4} = \dfrac{56}{4} = 14(개)$

따라서 단체 줄넘기 평균 기록은 2반이 2개 더 많습니다.

02 답 풀이 참조

$(진우의 평균) = \dfrac{8+5+9+6+7}{5} = \dfrac{35}{5} = 7(개)$

$(태우의 기록) = \dfrac{4+13+7+6+10}{5} = \dfrac{40}{5} = 8(개)$

따라서 투호 놀이 평균 기록은 태우가 1개 더 많습니다.

03 답 75

진주는 중간고사에서 총 $75 \times 5 = 375$(점)을 받았습니다.

따라서 진주의 국어 점수는

$375 - (90+80+70+60) = 75$(점)입니다.

04 답 18

솔이네 모둠의 도서 대출 책 수는 총 $21 \times 4 = 84$(권)입니다.

따라서 솔이가 대출한 책 수는

$84 - (25+13+28) = 18$(권)입니다.

05 답 172

5일 동안의 방문객 수는 $170 \times 5 = 850$(명)입니다.

따라서 13일의 방문객 수는

$850 - (209+164+199+106) = 172$(명)입니다.

06 답 285

4일 동안의 사과 수확량은 $250 \times 4 = 1000$(상자)입니다.

따라서 토요일의 사과 수확량은

$1000 - (268+217+230) = 285$(상자)입니다.

07 답 영찬

$(수호의 평균) = \dfrac{120+128+120+140}{4} = \dfrac{508}{4}$
$= 127(타)$

$(영찬이의 평균) = \dfrac{136+123+130+139}{4} = \dfrac{528}{4}$
$= 132(타)$

따라서 영찬이의 타자 기록이 더 좋다고 말할 수 있습니다.

08 답 주원

$(주원이의 평균) = \dfrac{35+38+39+36}{4} = \dfrac{148}{4}$
$= 37(초)$

$(준혁이의 평균) = \dfrac{42+48+33+37}{4} = \dfrac{160}{4}$
$= 40(초)$

따라서 주원이의 200 m 달리기 기록이 더 좋다고 말할 수 있습니다.

09 답 호동

$(희철이의 평균) = \dfrac{19+13+22+18}{4} = \dfrac{72}{4} = 18(번)$

$(호동이의 평균) = \dfrac{16+8+25+27}{4} = \dfrac{76}{4} = 19(번)$

따라서 호동이의 줄넘기 기록이 더 좋다고 말할 수 있습니다.

10 답 준서

$(준서의 평균) = \dfrac{54+49+60+41}{4} = \dfrac{204}{4} = 51(번)$

$(호준이의 평균) = \dfrac{38+44+54+60}{4} = \dfrac{196}{4}$
$= 49(번)$

따라서 준서의 윗몸일으키기 기록이 더 좋다고 말할 수 있습니다.

11 답 14

학급별 동생이 있는 학생 수의 합은 $9 \times 4 = 36$(명)입니다.

따라서 4반에 동생이 있는 학생 수는

$36 - (7 + 10 + 5) = 14$(명)입니다.

12 답 142

농장별 감자 생산량의 합은 $105 \times 4 = 420$(kg)입니다.

따라서 C 농장의 감자 생산량은

$420 - (78 + 80 + 120) = 142$(kg)입니다.

13 답 38

5일 동안 달리기 운동을 $31 \times 5 = 155$(분) 했습니다.

따라서 화요일에 달리기 운동을 한 시간은

$155 - (27 + 39 + 34 + 17) = 38$(분)입니다.

14 답 12

축구 교실 회원의 나이의 합은 $10 \times 4 = 40$(세)입니다.

따라서 두리의 나이는

$40 - (9 + 8 + 11) = 12$(세)입니다.

15 답 35

학급별 학생 수의 합은 $35 \times 5 = 175$(명)입니다.

따라서 4반의 학생 수는

$175 - (34 + 33 + 37 + 36) = 35$(명)입니다.

16 답 76

5일 동안의 놀이공원 입장객 수는 $71 \times 5 = 355$(명)입니다.

따라서 1일의 놀이공원 입장객 수는

$355 - (67 + 82 + 45 + 85) = 76$(명)입니다.

17 답 형석이네 모둠, 1 kg

(형석이네의 평균)$= \dfrac{48 + 39 + 54}{3} = \dfrac{141}{3} = 47$(kg)

(일우네의 평균)$= \dfrac{47 + 56 + 41 + 40}{4} = \dfrac{184}{4}$
$= 46$(kg)

따라서 형석이네 모둠의 평균 몸무게가

$47 - 46 = 1$(kg) 더 무겁습니다.

18 답 윤희네 가족, 10 mL

(윤희네의 평균)$= \dfrac{500 + 850 + 1200 + 650}{4}$

$= \dfrac{3200}{4} = 800$(mL)

(희연이네의 평균)

$= \dfrac{300 + 1600 + 800 + 550 + 700}{5} = \dfrac{3950}{5}$

$= 790$(mL)

따라서 윤희네 가족의 평균 물 섭취량이

$800 - 790 = 10$(mL) 더 많습니다.

19 답 26번

평균이 23번 이상 되어야 하므로 다섯 경기 동안 얻은 기록의 합계가 $23 \times 5 = 115$(번) 이상이어야 합니다.

따라서 마지막 경기에서 단체 줄넘기를 적어도

$115 - (18 + 25 + 30 + 16) = 26$(번)을 해야 합니다.

20 답 41번

평균이 35번 이상 되어야 하므로 다섯 경기 동안 얻은 기록의 합계가 $35 \times 5 = 175$(번) 이상이어야 합니다.

따라서 마지막 경기에서 윗몸일으키기를 적어도

$175 - (35 + 40 + 27 + 32) = 41$(번)을 해야 합니다.

21 답 12권

풍산 문구점에서 판매한 공책 수의 평균은

$(7 + 8 + 12) \div 3 = 9$(권)입니다.

풍산 문구점과 지학 문구점에서 판매한 공책 수의 평균이 같으므로 지학 문구점에서 4일 동안 판매한 공책 수의 평균도 9권입니다.

따라서 지학 문구점에서 4일 동안 판매한 공책 수는 $9 \times 4 = 36$(권)이므로 3일에 판매한 공책 수는

$36 - (11 + 5 + 8) = 12$(권)입니다.

22 답 20시간

현아의 수학 공부 시간의 평균은

$(14 + 15 + 20 + 23) \div 4 = 18$(시간)입니다.

현아와 예지가 공부한 시간의 평균이 같으므로 예지가 공부한 시간의 평균도 18시간입니다.

따라서 예지가 5개월 동안 공부한 시간은

$18 \times 5 = 90$(시간)이므로 4월에 예지가 공부한 시간은 $90 - (16 + 18 + 10 + 26) = 20$(시간)입니다.

20 일이 일어날 가능성

p. 93~95

> 예제 따라 풀어보는 연산

01 확실하다   **02** 불가능하다   **03** 반반이다

04 확실하다   **05** $\frac{1}{2}$ **06** 0

07 $\frac{1}{2}$ **08** 1

> 스스로 풀어보는 연산

09 불가능하다   **10** 확실하다   **11** 반반이다

12 ～아닐 것 같다   **13** 불가능하다

14 반반이다   **15** 불가능하다   **16** 반반이다

17 1   **18** $\frac{1}{2}$ **19** 0

20 $\frac{1}{2}$ **21** 0   **22** 0

23 0   **24** $\frac{1}{2}$

> 응용 연산

25 ㉡   **26** ㉡

27 불가능하다, 0   **28** 반반이다, $\frac{1}{2}$

29 풀이 참조   **31** 풀이 참조

05 답 $\frac{1}{2}$

일이 일어날 가능성이 반반이므로 수로 표현하면
$\frac{1}{2}$ 입니다.

06 답 0

일이 일어날 가능성이 불가능하므로 수로 표현하면 0
입니다.

07 답 $\frac{1}{2}$

일이 일어날 가능성이 반반이므로 수로 표현하면
$\frac{1}{2}$ 입니다.

08 답 1

일이 일어날 가능성이 확실하므로 수로 표현하면 1입
니다.

17 답 1

일이 일어날 가능성이 확실하므로 수로 표현하면 1입
니다.

18 답 $\frac{1}{2}$

일이 일어날 가능성이 반반이므로 수로 표현하면
$\frac{1}{2}$ 입니다.

19 답 0

일이 일어날 가능성이 불가능하므로 수로 표현하면 0
입니다.

20 답 $\frac{1}{2}$

일이 일어날 가능성이 반반이므로 수로 표현하면
$\frac{1}{2}$ 입니다.

21 답 0

일이 일어날 가능성이 불가능하므로 수로 표현하면 0
입니다.

22 답 0

일이 일어날 가능성이 불가능하므로 수로 표현하면 0
입니다.

23 답 0

일이 일어날 가능성이 불가능하므로 수로 표현하면 0
입니다.

24 답 $\frac{1}{2}$

일이 일어날 가능성이 반반이므로 수로 표현하면
$\frac{1}{2}$ 입니다.

25 답 ㉡

일이 일어날 가능성을 수로 표현하면 다음과 같습니다.

㉠ $\frac{1}{2}$ ㉡ 1   ㉢ 0

따라서 가능성이 가장 높은 것은 ㉡입니다.

26 답 ㉡

일이 일어날 가능성을 수로 표현하면 다음과 같습니다.

㉠ 0   ㉡ 1   ㉢ $\frac{1}{2}$

따라서 가능성이 가장 높은 것은 ㉡입니다.

27 답 불가능하다, 0

내년이 2017년일 가능성은 '불가능하다'입니다.
따라서 이를 수로 표현하면 0입니다.

28 답 반반이다, $\frac{1}{2}$

음료수 한 잔과 우유 한 잔이 있을 때 우유를 마실 가
능성은 '반반이다'입니다.

따라서 이를 수로 표현하면 $\frac{1}{2}$입니다.

29 답

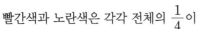

회전판에서 파란색과 노란색은 각각

전체의 $\frac{1}{2}$이므로 파랑 50회, 노랑 50회

인 표와 일이 일어날 가능성이 가장 비
슷합니다.

회전판에서 빨간색, 파란색, 노란색은

각각 전체의 $\frac{1}{3}$이므로 빨강 35회, 파

랑 35회, 노랑 30회인 표와 일이 일어
날 가능성이 가장 비슷합니다.

회전판에서 파란색은 전체의 $\frac{1}{2}$이고,

빨간색과 노란색은 각각 전체의 $\frac{1}{4}$이

므로 빨강 25회, 파랑 50회, 노랑 25회인 표와 일이
일어날 가능성이 가장 비슷합니다.

30 답

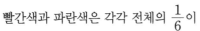

회전판에서 노란색은 전체의 $\frac{2}{3}$이고,

빨간색과 파란색은 각각 전체의 $\frac{1}{6}$이

므로 빨강 7회, 파랑 8회, 노랑 25회인 표와 일이 일
어날 가능성이 가장 비슷합니다.

회전판에서 빨간색과 파란색은 각각 전

체의 $\frac{1}{2}$이므로 빨강 20회, 파랑 20회

인 표와 일이 일어날 가능성이 가장 비슷합니다.

회전판에서 빨간색은 전체의 $\frac{1}{2}$이고,

파란색과 노란색은 각각 전체의 $\frac{1}{4}$이

므로 빨강 20회, 파랑 10회, 노랑 10회인 표와 일이
일어날 가능성이 가장 비슷합니다.

재미있게, 우리 연산하자!

① 가능성이 0인 경우

예 • 주사위를 굴려서 주사위의 눈의 수가 7이 나올 경우
• 내일 아침에 서쪽에서 해가 뜰 경우
• 검은색 바둑돌 4개가 들어 있는 주머니에서 흰색 바
둑돌을 꺼낼 경우

② 가능성이 $\frac{1}{2}$인 경우

예 • 주사위를 굴려서 주사위의 눈의 수가 홀수가 나올
경우
• 동전을 던질 때 숫자면이 나올 경우
• 검은색 바둑돌 2개, 흰색 바둑돌 2개가 들어 있는
주머니에서 흰색 바둑돌을 꺼낼 경우

③ 가능성이 1인 경우

예 • 주사위를 굴려서 주사위의 눈의 수가 1 이상이 나올
경우
• 1년 중 비오는 날이 하루 이상일 경우
• 검은색 바둑돌 4개가 들어 있는 주머니에서 검은색
바둑돌을 꺼낼 경우

풍산자

개념❌연산

초등 수학 5-2

척척 속 **연산**을 빠르게!

풍산자

개념 ✕ 연산

초등 **수학** 5-2

구성과 특징

개념
이해

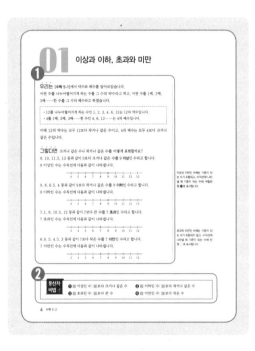

❶ 이미 배운 내용으로 앞으로 배울 내용을 자연스럽게 연계한 개념학습으로 읽으면서 이해할 수 있도록 개념을 설명했어요.

❷ 읽으면서 이해한 개념을 풍산자만의 비법으로 한눈에 정리할 수 있도록 하였습니다.

3단계
문제
해결

개념과 관련된 대표 연산 문제를 풀어보며 배운 개념을 문제에 적용해요.

이제는 스스로 문제를 풀어볼까요? 개념을 잘 익혔는지 확인해 봅시다.

초등 풍산자 개념×연산의 포인트

1 읽으면서 이해되는 개념
이미 학습한 개념을 바탕으로 앞으로 배울 개념을 자연스럽게 배웁니다.

2 꼭 필요한 핵심 개념 수록
교과서 단원을 재구성한 핵심 개념으로 수학을 가장 빠르고 쉽게 익힙니다.

3 학습에 가장 효율적인 3단계 문제
연산의 3단계 문제 구성으로 수학 실력이 단계적으로 상승합니다.

응용 연산 문제까지 풀어보며 개념을 완벽하게 완성해요.

단원별로 배운 내용을 모두 이용해서 재미있는 연산 문제를 해결해 보세요.

차례

1

:::

수의 범위와 어림하기

01 이상과 이하, 초과와 미만

우리는 [수학 5-1]에서 약수와 배수를 알아보았습니다.

어떤 수를 나누어떨어지게 하는 수를 그 수의 약수라고 하고, 어떤 수를 1배, 2배, 3배……한 수를 그 수의 배수라고 하였습니다.

- 12를 나누어떨어지게 하는 수인 1, 2, 3, 4, 6, 12는 12의 약수입니다.
- 4를 1배, 2배, 3배……한 수인 4, 8, 12……는 4의 배수입니다.

이때 12의 약수는 모두 12보다 작거나 같은 수이고, 4의 배수는 모두 4보다 크거나 같은 수입니다.

그렇다면 크거나 같은 수나 작거나 같은 수를 어떻게 표현할까요?

9, 10, 11.5, 13 등과 같이 9보다 크거나 같은 수를 9 **이상**인 수라고 합니다.

9 이상인 수는 수직선에 다음과 같이 나타냅니다.

9, 8, 6.5, 4 등과 같이 9보다 작거나 같은 수를 9 **이하**인 수라고 합니다.

9 이하인 수는 수직선에 다음과 같이 나타냅니다.

7.1, 9, 10.5, 12 등과 같이 7보다 큰 수를 7 **초과**인 수라고 합니다.

7 초과인 수는 수직선에 다음과 같이 나타냅니다.

6.9, 5, 4.5, 3 등과 같이 7보다 작은 수를 7 **미만**인 수라고 합니다.

7 미만인 수는 수직선에 다음과 같이 나타냅니다.

이상과 이하인 수에는 기준이 되는 수가 포함되고, 수직선에 나타낼 때 기준이 되는 수에 색칠된 원 ●로 표시합니다.

초과와 미만인 수에는 기준이 되는 수가 포함되지 않고, 수직선에 나타낼 때 기준이 되는 수에 빈 원 ○로 표시합니다.

풍산자 비법

❶ ▨ 이상인 수: ▨보다 크거나 같은 수　　❷ ▨ 이하인 수: ▨보다 작거나 같은 수

❸ ▨ 초과인 수: ▨보다 큰 수　　❹ ▨ 미만인 수: ▨보다 작은 수

예제 따라 **풀어보는 연산**

예제 따라 **풀어보는 연산**

예제 1

| 99 | 125 | 116 | 130 | 124 | 100 | 87 |

124 **이상인 수** ⇨ 124, 125, 130
100 **이하인 수** ⇨ 87, 99, 100

01

| 33 | 18 | 20 | 45 | 24 | 38 | 11 |

33 이상인 수 ⇨
33 이하인 수 ⇨

02

| 42 | 44 | 45 | 47 | 50 | 52 | 53 |

52 이상인 수 ⇨
46 이하인 수 ⇨

예제 2

| 76 | 80 | 88 | 111 | 97 | 105 | 65 |

88 **초과인 수** ⇨ 97, 105, 111
90 **미만인 수** ⇨ 65, 76, 80, 88

03

| 18 | 22 | 12 | 25 | 13 | 29 | 37 |

20 초과인 수 ⇨
25 미만인 수 ⇨

04

| 43 | 39 | 24 | 13 | 27 | 52 | 19 |

38 초과인 수 ⇨
43 미만인 수 ⇨

예제 3 수직선에 나타내어 보시오.

4 이상인 수

05 35 이상인 수

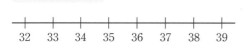

06 15 이하인 수

07 21 초과인 수

08 74 미만인 수

스스로 풀어보는 연산

[09-16] 알맞은 수를 고르시오.

09

| 40 54 50 65 63 67 57 46 |

50 이상인 수 ⇨

57 이하인 수 ⇨

10

| 7.2 10 9.6 12 5 13.9 8 6.8 |

7.2 이상인 수 ⇨

12 이하인 수 ⇨

11

| 72 66 88 92 100 111 120 56 |

80 이상인 수 ⇨

88 이하인 수 ⇨

12

| 9 17 21 23 20 14 30 5 |

17 이상인 수 ⇨

19 이하인 수 ⇨

13

| 51 35 52 39 29 61 49 56 |

51 초과인 수 ⇨

39 미만인 수 ⇨

14

| 19 21.8 23 22 14 13 11.9 15 |

22 초과인 수 ⇨

15 미만인 수 ⇨

15

| 20 25 54 52 31 32 27 16 |

27 초과인 수 ⇨

30 미만인 수 ⇨

16

| 80 87 79 91.5 62 77 100 66 |

80 초과인 수 ⇨

80 미만인 수 ⇨

[17-22] 수직선에 나타내어 보시오.

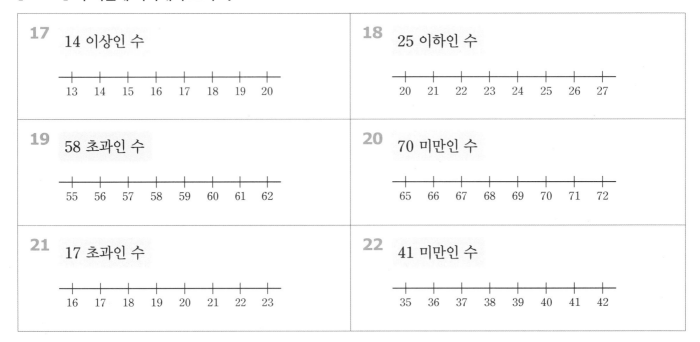

17 14 이상인 수

13 14 15 16 17 18 19 20

18 25 이하인 수

20 21 22 23 24 25 26 27

19 58 초과인 수

55 56 57 58 59 60 61 62

20 70 미만인 수

65 66 67 68 69 70 71 72

21 17 초과인 수

16 17 18 19 20 21 22 23

22 41 미만인 수

35 36 37 38 39 40 41 42

응용 연산

[23-24] 수직선에 나타낸 수의 범위를 쓰시오.

23

23 24 25 26 27 28 29 30

24

42 43 44 45 46 47 48 49

[25-26] 주어진 범위를 만족하는 자연수의 합을 구하시오.

25 12 이상 15 미만인 수

26 7 초과 13 이하인 수

[27-28] 주어진 수를 포함하는 수의 범위를 모두 찾아 기호를 쓰시오.

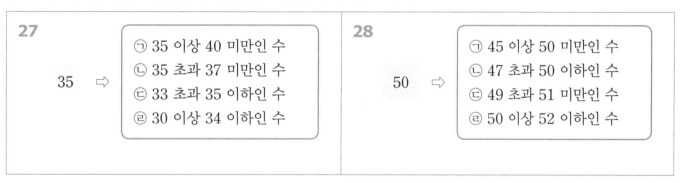

27

35 ⇨

㉠ 35 이상 40 미만인 수
㉡ 35 초과 37 미만인 수
㉢ 33 초과 35 이하인 수
㉣ 30 이상 34 이하인 수

28

50 ⇨

㉠ 45 이상 50 미만인 수
㉡ 47 초과 50 이하인 수
㉢ 49 초과 51 미만인 수
㉣ 50 이상 52 이하인 수

[29-30] 지혜네 반 학생들의 키를 조사하여 나타낸 표입니다. 물음에 답하시오.

지혜네 반 학생들의 키

이름	지혜	혜나	미진	하영	소영
키(cm)	142.5	150.0	149.9	151.0	158.4

29 키가 150 cm 이상인 학생은 누구인지 모두 쓰시오.

30 키가 150 cm 이하인 학생은 누구인지 모두 쓰시오.

02 올림, 버림, 반올림

우리는 [수학 4-1] 곱셈과 나눗셈에서 어림하여 계산하는 방법을 알아보았습니다. 어림하여 계산하면 계산을 하기 전에 계산 결과의 값을 예상할 수 있고, 계산을 하고 난 다음 계산 결과가 맞았는지 확인할 수 있었습니다.

그렇다면 수를 어림할 때 어떤 방법으로 할까요?

수를 어림하는 방법으로는 올림, 버림, 반올림이 있습니다.

올림은 구하려는 자리 아래 수를 올려서 나타내는 방법으로, 구하려는 자리 아래 수가 0이 아니면 구하려는 자리 수에 1을 더하고 그 아래 수를 모두 0으로 나타냅니다.

- 273을 올림하여 십의 자리까지 나타내기: 273 ⇨ 280
- 273을 올림하여 백의 자리까지 나타내기: 273 ⇨ 300
- 5.147을 올림하여 소수 첫째 자리까지 나타내기: 5.147 ⇨ 5.2

버림은 구하려는 자리 아래 수를 버려서 나타내는 방법으로, 구하려는 자리 아래 수를 모두 0으로 나타냅니다.

- 386을 버림하여 십의 자리까지 나타내기: 386 ⇨ 380
- 386을 버림하여 백의 자리까지 나타내기: 386 ⇨ 300
- 3.428을 버림하여 소수 첫째 자리까지 나타내기: 3.428 ⇨ 3.4

반올림은 구하려는 자리 바로 아래 자리의 숫자가 0, 1, 2, 3, 4이면 버리고 5, 6, 7, 8, 9이면 올리는 방법입니다.

- 316을 일의 자리에서 반올림하여 나타내기: 316 ⇨ 320
- 316을 십의 자리에서 반올림하여 나타내기: 316 ⇨ 300
- 2.516을 반올림하여 소수 첫째 자리까지 나타내기: 2.516 ⇨ 2.5

195×82

⇨ 195를 200으로, 82를 80으로 어림하여 계산하면 $200 \times 80 = 16000$이고, 195×82를 계산하면 15990입니다.

구하려는 자리 아래 수가 모두 0인 경우에는 올릴 것이 없으므로 그대로 씁니다.

⇨ 400의 백의 자리 아래를 올림하여 나타내면 400입니다.

구하려는 자리 아래 수가 모두 0인 경우에는 버릴 것이 없으므로 그대로 씁니다.

⇨ 400의 백의 자리 아래를 버림하여 나타내면 400입니다.

5 미만이면 버리고, 5 이상이면 올립니다.

풍산자 비법 ✦

❶ 올림: 구하려는 자리 아래 수를 올려서 나타내는 방법
❷ 버림: 구하려는 자리 아래 수를 버려서 나타내는 방법
❸ 반올림: 구하려는 자리 바로 아래 자리의 숫자가 0, 1, 2, 3, 4이면 버리고 5, 6, 7, 8, 9이면 올리는 방법

예제 따라 **풀어보는 연산**

예제 1 163을 올림하여 나타내기
⇨ **십의 자리까지 나타내기:** 170
⇨ **백의 자리까지 나타내기:** 200

01 232
⇨ 십의 자리까지 나타내기:
⇨ 백의 자리까지 나타내기:

02 354
⇨ 십의 자리까지 나타내기:
⇨ 백의 자리까지 나타내기:

03 1.774
⇨ 소수 첫째 자리까지 나타내기:
⇨ 소수 둘째 자리까지 나타내기:

04 2.463
⇨ 소수 첫째 자리까지 나타내기:
⇨ 소수 둘째 자리까지 나타내기:

예제 2 163을 버림하여 나타내기
⇨ **십의 자리까지 나타내기:** 160
⇨ **백의 자리까지 나타내기:** 100

05 321
⇨ 십의 자리까지 나타내기:
⇨ 백의 자리까지 나타내기:

06 754
⇨ 십의 자리까지 나타내기:
⇨ 백의 자리까지 나타내기:

07 6.743
⇨ 소수 첫째 자리까지 나타내기:
⇨ 소수 둘째 자리까지 나타내기:

08 9.183
⇨ 소수 첫째 자리까지 나타내기:
⇨ 소수 둘째 자리까지 나타내기:

예제 3 163을 반올림하여 나타내기
⇨ **십의 자리까지 나타내기:** 160
⇨ **백의 자리까지 나타내기:** 200

09 784
⇨ 십의 자리까지 나타내기:
⇨ 백의 자리까지 나타내기:

10 526
⇨ 십의 자리까지 나타내기:
⇨ 백의 자리까지 나타내기:

11 4.632
⇨ 소수 첫째 자리까지 나타내기:
⇨ 소수 둘째 자리까지 나타내기:

12 3.447
⇨ 소수 첫째 자리까지 나타내기:
⇨ 소수 둘째 자리까지 나타내기:

스스로 풀어보는 연산

[13-16] 수를 올림하여 주어진 자리까지 나타내시오.

13 921
  ⇨ 십의 자리까지 나타내기:
  ⇨ 백의 자리까지 나타내기:

14 2937
  ⇨ 십의 자리까지 나타내기:
  ⇨ 백의 자리까지 나타내기:

15 2.264
  ⇨ 소수 첫째 자리까지 나타내기:
  ⇨ 소수 둘째 자리까지 나타내기:

16 7.185
  ⇨ 소수 첫째 자리까지 나타내기:
  ⇨ 소수 둘째 자리까지 나타내기:

[17-20] 수를 버림하여 주어진 자리까지 나타내시오.

17 552
  ⇨ 십의 자리까지 나타내기:
  ⇨ 백의 자리까지 나타내기:

18 38150
  ⇨ 십의 자리까지 나타내기:
  ⇨ 백의 자리까지 나타내기:

19 4.159
  ⇨ 소수 첫째 자리까지 나타내기:
  ⇨ 소수 둘째 자리까지 나타내기:

20 3.823
  ⇨ 소수 첫째 자리까지 나타내기:
  ⇨ 소수 둘째 자리까지 나타내기:

[21-26] 수를 반올림하여 주어진 자리까지 나타내시오.

21 8742
  ⇨ 십의 자리까지 나타내기:
  ⇨ 백의 자리까지 나타내기:

22 1382
  ⇨ 십의 자리까지 나타내기:
  ⇨ 백의 자리까지 나타내기:

23 65547
  ⇨ 십의 자리까지 나타내기:
  ⇨ 백의 자리까지 나타내기:

24 73323
  ⇨ 십의 자리까지 나타내기:
  ⇨ 백의 자리까지 나타내기:

25 8.639
  ⇨ 소수 첫째 자리까지 나타내기:
  ⇨ 소수 둘째 자리까지 나타내기:

26 6.734
  ⇨ 소수 첫째 자리까지 나타내기:
  ⇨ 소수 둘째 자리까지 나타내기:

응용 연산

[27-28] 크기를 비교하여 ○ 안에 >, =, <를 알맞게 써넣으시오.

27

| 256을 올림하여 십의 자리까지 나타낸 수 | ○ | 267을 올림하여 백의 자리까지 나타낸 수 |

28

| 1784를 버림하여 백의 자리까지 나타낸 수 | ○ | 1721을 버림하여 십의 자리까지 나타낸 수 |

[29-30] 반올림하여 주어진 자리까지 나타내시오.

29

수	십의 자리	백의 자리	천의 자리	만의 자리
49537				

30

수	십의 자리	백의 자리	천의 자리	만의 자리
72603				

[31-32] 반올림하여 백의 자리까지 나타낸 수가 다른 하나를 찾아 기호를 쓰시오.

31

㉠ 6541　　　㉡ 6480
㉢ 6593　　　㉣ 6527

32

㉠ 48746　　　㉡ 48831
㉢ 48652　　　㉣ 48739

[33-34] 관계있는 것끼리 이어 보시오.

33

155를 올림하여 십의 자리까지 나타내기　　•　　• 150

155를 버림하여 십의 자리까지 나타내기　　•　　• 200

155를 반올림하여 백의 자리까지 나타내기　　•　　• 160

34

4383을 올림하여 천의 자리까지 나타내기　　•　　• 5000

4383을 버림하여 백의 자리까지 나타내기　　•　　• 4400

4383을 반올림하여 백의 자리까지 나타내기　　•　　• 4300

지금까지 우리는 수의 범위와 어림하기를 배웠습니다.

힘들었을 텐데, 잘 풀었어요!

자, 그럼 마지막으로 지금까지 배운
수의 범위와 어림하기를 모두 이용해서
아래 갈림길을 통과해 볼까요?
두 갈림길 중 1부터 10까지 자연수에서 많은 숫자가 포함되어 있는 쪽으로만
골라서 이동할 때, 마지막 도착 장소는 어디인지 구해 봅시다.

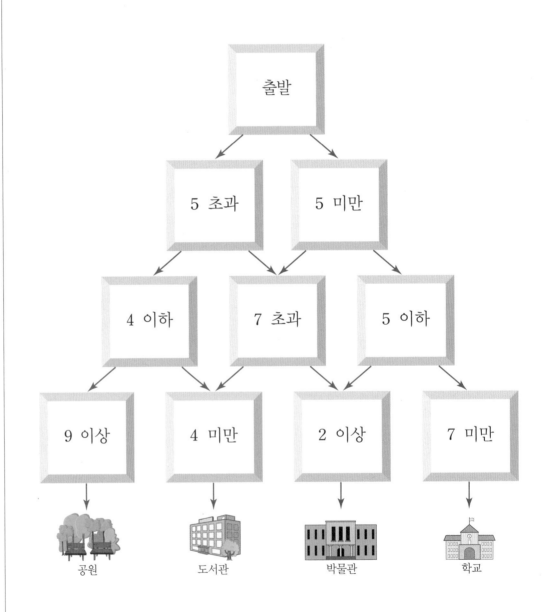

2

:::

분수의 곱셈

03 (분수)×(자연수)

우리는 [수학 5-1] 분수의 덧셈과 뺄셈에서 $\dfrac{1}{3}+\dfrac{3}{4}$, $\dfrac{3}{5}-\dfrac{1}{3}$과 같은 분모가 다른

진분수의 덧셈과 뺄셈을 계산하는 방법을 알아보았습니다.

분모가 다른 진분수의 덧셈과 뺄셈은 두 분수를 통분하여 분모가 같은 분수로 고친

다음 분자끼리 다음과 같이 계산하였습니다.

> $\cdot \dfrac{1}{3}+\dfrac{3}{4}=\dfrac{4}{12}+\dfrac{9}{12}=\dfrac{13}{12}=1\dfrac{1}{12}$
>
> $\cdot \dfrac{3}{5}-\dfrac{1}{3}=\dfrac{9}{15}-\dfrac{5}{15}=\dfrac{4}{15}$

그렇다면 $\dfrac{2}{3}\times4$, $1\dfrac{1}{5}\times3$과 같은 (분수)×(자연수)는 어떻게 계산할까요?

(진분수)×(자연수)는 분수의 분모는 그대로 두고 분자와 자연수를 곱하여 계산할 수

있습니다.

> $$\dfrac{2}{3}\times4=\dfrac{2}{3}+\dfrac{2}{3}+\dfrac{2}{3}+\dfrac{2}{3}=\dfrac{2\times4}{3}=\dfrac{8}{3}=2\dfrac{2}{3}$$

(대분수)×(자연수)는 대분수를 가분수로 바꾼 후에 분수의 분모는 그대로 두고 분자

와 자연수를 곱하여 계산하거나 대분수를 자연수와 진분수의 합으로 보고 다음과 같

이 계산할 수 있습니다.

> [방법 1] 대분수를 가분수로 바꾼 후 계산
>
> $$1\dfrac{1}{5}\times3=\dfrac{6}{5}\times3=\dfrac{6\times3}{5}=\dfrac{18}{5}=3\dfrac{3}{5}$$
>
> [방법 2] 대분수를 자연수와 진분수의 합으로 보고 계산
>
> $$1\dfrac{1}{5}\times3=(1\times3)+\left(\dfrac{1}{5}\times3\right)=3+\dfrac{3}{5}=3\dfrac{3}{5}$$

$\dfrac{5}{6}\times4$의 여러 가지 계산 방법

(1) 곱셈을 다 한 후에 약분

$$\dfrac{5}{6}\times4=\dfrac{5\times4}{6}=\dfrac{\overset{10}{\cancel{20}}}{\underset{3}{\cancel{6}}}$$
$$=\dfrac{10}{3}=3\dfrac{1}{3}$$

(2) 곱셈을 하는 과정에서 약분

$$\dfrac{5}{\underset{3}{\cancel{6}}}\times\overset{2}{\cancel{4}}=\dfrac{10}{3}=3\dfrac{1}{3}$$

풍산자 비법

❶ (진분수)×(자연수) ⇨ 분모는 그대로 두고 분자와 자연수를 곱한다.

❷ (대분수)×(자연수) ⇨ 대분수를 가분수로 바꾸어서 계산하거나
　　　　　　　　　　　대분수를 자연수와 진분수의 합으로 보고 계산한다.

예제 따라 **풀어보는 연산**

예제 **1**

$$\frac{5}{12} \times 8 = \frac{5 \times 8}{12} = \frac{\overset{10}{\cancel{40}}}{\underset{3}{\cancel{12}}} = \frac{10}{3} = 3\frac{1}{3}$$

01 $\dfrac{4}{9} \times 12 =$	**02** $\dfrac{3}{4} \times 8 =$
03 $\dfrac{5}{8} \times 6 =$	**04** $\dfrac{7}{27} \times 6 =$

예제 **2**

$$1\frac{1}{3} \times 2 = \frac{4}{3} \times 2 = \frac{4 \times 2}{3} = \frac{8}{3} = 2\frac{2}{3}$$

05 $3\dfrac{2}{5} \times 3 =$	**06** $1\dfrac{2}{3} \times 4 =$
07 $5\dfrac{2}{3} \times 2 =$	**08** $3\dfrac{1}{5} \times 4 =$

예제 **3**

$$2\frac{1}{5} \times 3 = (2 \times 3) + \left(\frac{1}{5} \times 3\right) = 6 + \frac{3}{5} = 6\frac{3}{5}$$

09 $5\dfrac{1}{7} \times 3 =$	**10** $3\dfrac{2}{9} \times 2 =$
11 $1\dfrac{3}{4} \times 5 =$	**12** $2\dfrac{5}{8} \times 3 =$

13 $\dfrac{7}{15} \times 8 =$	**14** $\dfrac{7}{10} \times 4 =$
15 $\dfrac{13}{15} \times 9 =$	**16** $\dfrac{7}{9} \times 5 =$
17 $\dfrac{9}{17} \times 8 =$	**18** $\dfrac{14}{19} \times 4 =$
19 $2\dfrac{1}{3} \times 6 =$	**20** $1\dfrac{3}{8} \times 5 =$
21 $1\dfrac{3}{6} \times 4 =$	**22** $2\dfrac{1}{9} \times 3 =$
23 $3\dfrac{2}{5} \times 8 =$	**24** $2\dfrac{3}{8} \times 4 =$
25 $3\dfrac{5}{6} \times 4 =$	**26** $2\dfrac{5}{9} \times 3 =$

[27-28] 잘못 계산한 것을 찾아 기호를 쓰시오.

27

ⓐ $\dfrac{7}{9} \times 3 = 2\dfrac{1}{3}$

ⓑ $\dfrac{5}{12} \times 3 = \dfrac{5}{36}$

ⓒ $1\dfrac{4}{5} \times 3 = 5\dfrac{2}{5}$

ⓓ $2\dfrac{5}{8} \times 4 = 10\dfrac{1}{2}$

28

ⓐ $\dfrac{7}{20} \times 5 = \dfrac{7}{10}$

ⓑ $\dfrac{3}{10} \times 6 = 1\dfrac{4}{5}$

ⓒ $\dfrac{9}{28} \times 7 = 2\dfrac{1}{4}$

ⓓ $5\dfrac{5}{7} \times 2 = 11\dfrac{3}{7}$

[29-30] 계산 결과를 비교하여 ○ 안에 >, =, <를 알맞게 써넣으시오.

29 $2\dfrac{3}{8} \times 6 \bigcirc 4\dfrac{1}{3} \times 5$

30 $1\dfrac{3}{5} \times 4 \bigcirc 1\dfrac{7}{10} \times 5$

[31-32] □ 안에 알맞은 수를 써넣으시오.

31 한 명이 피자 한 판의 $\dfrac{2}{9}$씩 먹으려고 합니다. 18명이 먹으려면 피자는 모두 □ 판이 필요합니다.

32 한 병에 $\dfrac{3}{5}$ L씩 들어 있는 음료수가 있습니다. 20병이 있다면 음료수는 모두 □ L입니다.

[33-34] 계산 결과를 찾아 이어 보시오.

33

$3\dfrac{3}{10} \times 20$ •   • 32

$2\dfrac{2}{7} \times 14$ •   • 66

$1\dfrac{3}{5} \times 15$ •   • 24

34

$\dfrac{8}{15} \times 10$ •   • $3\dfrac{1}{4}$

$\dfrac{5}{6} \times 8$ •   • $5\dfrac{1}{3}$

$\dfrac{13}{28} \times 7$ •   • $6\dfrac{2}{3}$

04 (자연수)×(분수)

우리는 앞 단원에서 $\frac{3}{5} \times 3$, $2\frac{1}{4} \times 3$과 같은 (분수)×(자연수)를 계산하는 방법을 알아보았습니다. (진분수)×(자연수)는 분수의 분모는 그대로 두고 분자와 자연수를 곱하여 계산하였고, (대분수)×(자연수)는 대분수를 가분수로 바꾼 후에 분수의 분모는 그대로 두고 분자와 자연수를 곱하여 계산하거나 대분수를 자연수와 진분수의 합으로 보고 다음과 같이 계산하였습니다.

> • $\frac{3}{5} \times 3 = \frac{3 \times 3}{5} = \frac{9}{5} = 1\frac{4}{5}$ • $2\frac{1}{4} \times 3 = \frac{9}{4} \times 3 = \frac{9 \times 3}{4} = \frac{27}{4} = 6\frac{3}{4}$

$2\frac{1}{4} \times 3 = (2 \times 3) + \left(\frac{1}{4} \times 3\right)$
$= 6 + \frac{3}{4} = 6\frac{3}{4}$

그렇다면 $5 \times \frac{3}{8}$, $4 \times 2\frac{1}{3}$과 같은 (자연수)×(분수)는 어떻게 계산할까요?

(자연수)×(진분수)는 분수의 분모는 그대로 두고 자연수와 분자를 곱하여 다음과 같이 계산할 수 있습니다.

> $$5 \times \frac{3}{8} = \frac{5 \times 3}{8} = \frac{15}{8} = 1\frac{7}{8}$$

$5 \times \frac{3}{8}$은 5의 $\frac{3}{8}$입니다.

(자연수)×(대분수)는 대분수를 가분수로 바꾼 후에 분수의 분모는 그대로 두고 자연수와 분자를 곱하여 계산하거나 대분수를 자연수와 진분수의 합으로 보고 다음과 같이 계산할 수 있습니다.

> [방법 1] 대분수를 가분수로 바꾼 후 계산
> $$4 \times 2\frac{1}{3} = 4 \times \frac{7}{3} = \frac{4 \times 7}{3} = \frac{28}{3} = 9\frac{1}{3}$$
> [방법 2] 대분수를 자연수와 진분수의 합으로 보고 계산
> $$4 \times 2\frac{1}{3} = (4 \times 2) + \left(4 \times \frac{1}{3}\right) = 8 + \frac{4}{3} = 8 + 1\frac{1}{3} = 9\frac{1}{3}$$

곱셈은 순서를 바꾸어 계산해도 결과가 같으므로 (자연수)×(분수)는 (분수)×(자연수)로 계산해도 됩니다.
즉, $4 \times 2\frac{1}{3}$과 $2\frac{1}{3} \times 4$의 계산 결과는 같습니다.

이때 자연수에 진분수를 곱하면 곱한 값은 원래의 수보다 작아지고, 자연수에 대분수를 곱하면 곱한 값은 원래의 수보다 커집니다.

풍산자 비법

❶ (자연수)×(진분수) ⇨ 분모는 그대로 두고 자연수와 분자를 곱한다.

❷ (자연수)×(대분수) ⇨ 대분수를 가분수로 바꾸어서 계산하거나 대분수를 자연수와 진분수의 합으로 보고 계산한다.

예제 따라 **풀어보는 연산**

예제 **1**

$$14 \times \frac{5}{8} = \frac{14 \times 5}{8} = \frac{\overset{35}{\cancel{70}}}{\underset{4}{\cancel{8}}} = \frac{35}{4} = 8\frac{3}{4}$$

01 $9 \times \dfrac{5}{6} =$	**02** $12 \times \dfrac{3}{10} =$
03 $22 \times \dfrac{4}{11} =$	**04** $8 \times \dfrac{11}{16} =$

예제 **2**

$$3 \times 2\frac{3}{8} = 3 \times \frac{19}{8} = \frac{3 \times 19}{8} = \frac{57}{8} = 7\frac{1}{8}$$

05 $14 \times 1\dfrac{3}{7} =$	**06** $2 \times 2\dfrac{7}{10} =$
07 $10 \times 1\dfrac{4}{5} =$	**08** $6 \times 2\dfrac{1}{8} =$

예제 **3**　$7 \times 1\frac{1}{8} = (7 \times 1) + \left(7 \times \frac{1}{8}\right) = 7 + \frac{7}{8} = 7\frac{7}{8}$

09 $4 \times 2\dfrac{1}{8} =$	**10** $9 \times 1\dfrac{1}{6} =$
11 $3 \times 2\dfrac{7}{9} =$	**12** $2 \times 3\dfrac{4}{5} =$

13 $18 \times \dfrac{3}{4} =$	**14** $25 \times \dfrac{3}{5} =$
15 $6 \times \dfrac{8}{9} =$	**16** $10 \times \dfrac{7}{8} =$
17 $14 \times \dfrac{5}{6} =$	**18** $5 \times \dfrac{5}{12} =$
19 $20 \times \dfrac{13}{16} =$	**20** $4 \times 2\dfrac{1}{2} =$
21 $12 \times 1\dfrac{1}{7} =$	**22** $4 \times 2\dfrac{3}{10} =$
23 $9 \times 1\dfrac{5}{6} =$	**24** $6 \times 1\dfrac{2}{10} =$
25 $4 \times 1\dfrac{1}{2} =$	**26** $2 \times 4\dfrac{2}{7} =$

[27-28] 계산 결과가 큰 것부터 차례대로 기호를 쓰시오.

27

$\bigcirc\ 5 \times 1\dfrac{2}{7}$ $\bigcirc\ 10 \times 2\dfrac{1}{3}$ $\bigcirc\ 8 \times 2\dfrac{2}{6}$

28

$\bigcirc\ 6 \times 2\dfrac{5}{9}$ $\bigcirc\ 4 \times 2\dfrac{7}{8}$ $\bigcirc\ 9 \times 2\dfrac{1}{12}$

[29-30] □ 안에 알맞은 수를 써넣으시오.

29

나은이는 색종이 30장을 가지고 있습니다. 이 중 $\dfrac{2}{15}$를 사용했다면 나은이가 사용한 색종이는 □ 장입니다.

30

종우는 구슬 56개를 가지고 있습니다. 이 중 $\dfrac{3}{7}$을 동생에게 주었다면 동생에게 준 구슬은 □ 개입니다.

[31-32] 계산 결과를 찾아 이어 보시오.

31

$8 \times 1\dfrac{3}{9}$ •

$3 \times 2\dfrac{4}{15}$ •

$2 \times 2\dfrac{1}{3}$ •

• $4\dfrac{2}{3}$

• $10\dfrac{2}{3}$

• $6\dfrac{4}{5}$

32

$12 \times \dfrac{2}{3}$ •

$16 \times \dfrac{5}{6}$ •

$10 \times \dfrac{3}{4}$ •

• $7\dfrac{1}{2}$

• 8

• $13\dfrac{1}{3}$

[33-34] 바르게 말한 친구는 누구인지 쓰시오.

33

세정: 1시간의 $\dfrac{1}{2}$은 20분이야.

은수: 1 km의 $\dfrac{1}{5}$은 200 m야.

34

현아: 1 L의 $\dfrac{1}{4}$은 250 mL야.

보경: 1 kg의 $\dfrac{1}{10}$은 10 g이야.

05 (진분수)×(진분수)

우리는 앞 단원에서 $4 \times \dfrac{3}{5}$, $3 \times 2\dfrac{1}{4}$과 같은 (자연수)×(분수)를 계산하는 방법을 알아보았습니다. (자연수)×(진분수)는 분수의 분모는 그대로 두고 자연수와 분자를 곱하여 계산하였고, (자연수)×(대분수)는 대분수를 가분수로 바꾼 후에 분수의 분모는 그대로 두고 자연수와 분자를 곱하여 계산하거나 대분수를 자연수와 진분수의 합으로 보고 다음과 같이 계산하였습니다.

$$\cdot \; 4 \times \frac{3}{5} = \frac{4 \times 3}{5} = \frac{12}{5} = 2\frac{2}{5} \qquad \cdot \; 3 \times 2\frac{1}{4} = 3 \times \frac{9}{4} = \frac{3 \times 9}{4} = \frac{27}{4} = 6\frac{3}{4}$$

$$3 \times 2\frac{1}{4} = (3 \times 2) + \left(3 \times \frac{1}{4}\right)$$
$$= 6 + \frac{3}{4} = 6\frac{3}{4}$$

그렇다면 $\dfrac{1}{3} \times \dfrac{1}{4}$, $\dfrac{4}{7} \times \dfrac{3}{5}$과 같은 (진분수)×(진분수)는 어떻게 계산할까요?
(단위분수)×(단위분수)는 분자끼리의 곱은 항상 1이므로 분자는 그대로 두고 분모끼리 곱하여 계산하고, (진분수)×(진분수)는 분모는 분모끼리 곱하고 분자는 분자끼리 곱하여 다음과 같이 계산합니다.

단위분수: 분자가 1인 분수

$$\cdot \; \frac{1}{3} \times \frac{1}{4} = \frac{1}{3 \times 4} = \frac{1}{12} \qquad\qquad \cdot \; \frac{4}{7} \times \frac{3}{5} = \frac{4 \times 3}{7 \times 5} = \frac{12}{35}$$

또한, $\dfrac{2}{3} \times \dfrac{4}{5} \times \dfrac{1}{4}$과 같은 세 분수의 곱셈은 앞에서부터 두 분수씩 차례로 계산하거나 세 분수를 한꺼번에 분모는 분모끼리, 분자는 분자끼리 곱하여 다음과 같이 계산합니다.

약분하는 순서에 따라 여러 가지 방법으로 계산할 수 있습니다.

[방법 1] 앞에서부터 두 분수씩 차례로 계산

$$\frac{2}{3} \times \frac{4}{5} \times \frac{1}{4} = \left(\frac{2}{3} \times \frac{4}{5}\right) \times \frac{1}{4} = \frac{8}{15} \times \frac{1}{4} = \frac{\overset{2}{\cancel{8}}}{\underset{15}{\cancel{60}}} = \frac{2}{15}$$

[방법 2] 세 분수를 한꺼번에 계산

$$\frac{2}{3} \times \frac{4}{5} \times \frac{1}{4} = \frac{2 \times \overset{1}{\cancel{4}} \times 1}{3 \times 5 \times \underset{1}{\cancel{4}}} = \frac{2}{15}$$

풍산자 비법 ✦

(진분수)×(진분수) ⇨ 분모는 분모끼리, 분자는 분자끼리 곱한다.

예제 따라 **풀어보는 연산**

예제 **1** $\dfrac{1}{7} \times \dfrac{1}{3} = \dfrac{1 \times 1}{7 \times 3} = \dfrac{1}{21}$

01 $\dfrac{1}{6} \times \dfrac{1}{4} =$	**02** $\dfrac{1}{3} \times \dfrac{1}{4} =$
03 $\dfrac{1}{2} \times \dfrac{1}{8} =$	**04** $\dfrac{1}{11} \times \dfrac{1}{5} =$

예제 **2** $\dfrac{2}{7} \times \dfrac{14}{15} = \dfrac{2 \times \overset{2}{\cancel{14}}}{\underset{1}{\cancel{7}} \times 15} = \dfrac{4}{15}$

05 $\dfrac{3}{5} \times \dfrac{7}{8} =$	**06** $\dfrac{3}{16} \times \dfrac{8}{9} =$
07 $\dfrac{3}{8} \times \dfrac{4}{11} =$	**08** $\dfrac{9}{14} \times \dfrac{5}{6} =$

예제 **3** $\dfrac{3}{4} \times \dfrac{1}{5} \times \dfrac{2}{3} = \dfrac{\overset{1}{\cancel{3}} \times 1 \times \overset{1}{\cancel{2}}}{\underset{2}{\cancel{4}} \times 5 \times \underset{1}{\cancel{3}}} = \dfrac{1}{10}$

09 $\dfrac{1}{2} \times \dfrac{3}{4} \times \dfrac{5}{6} =$	**10** $\dfrac{2}{7} \times \dfrac{3}{4} \times \dfrac{1}{3} =$
11 $\dfrac{2}{5} \times \dfrac{1}{6} \times \dfrac{2}{3} =$	**12** $\dfrac{3}{8} \times \dfrac{4}{5} \times \dfrac{1}{2} =$

스스로 풀어보는 연산

13 $\dfrac{1}{3} \times \dfrac{1}{5} =$	**14** $\dfrac{1}{9} \times \dfrac{1}{7} =$
15 $\dfrac{1}{6} \times \dfrac{1}{8} =$	**16** $\dfrac{1}{13} \times \dfrac{1}{2} =$
17 $\dfrac{1}{10} \times \dfrac{1}{9} =$	**18** $\dfrac{3}{8} \times \dfrac{5}{18} =$
19 $\dfrac{3}{7} \times \dfrac{14}{23} =$	**20** $\dfrac{3}{8} \times \dfrac{14}{17} =$
21 $\dfrac{4}{15} \times \dfrac{5}{12} =$	**22** $\dfrac{11}{20} \times \dfrac{4}{9} =$
23 $\dfrac{2}{5} \times \dfrac{3}{4} \times \dfrac{1}{2} =$	**24** $\dfrac{1}{6} \times \dfrac{3}{7} \times \dfrac{7}{9} =$
25 $\dfrac{1}{3} \times \dfrac{5}{6} \times \dfrac{4}{5} =$	**26** $\dfrac{3}{4} \times \dfrac{1}{2} \times \dfrac{4}{7} =$

응용 연산

[27-28] 빈칸에 알맞은 수를 써넣으시오.

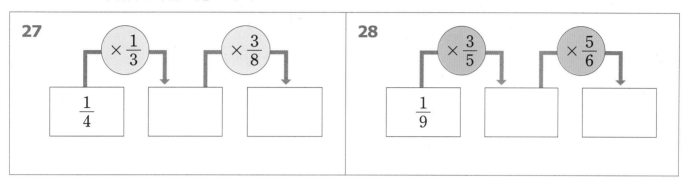

[29-30] 계산 결과를 비교하여 ○ 안에 >, =, <를 알맞게 써넣으시오.

29 $\frac{1}{6} \times \frac{2}{3} \times \frac{9}{10}$ ○ $\frac{1}{3} \times \frac{1}{7} \times \frac{7}{15}$

30 $\frac{1}{5} \times \frac{1}{4} \times \frac{2}{11}$ ○ $\frac{1}{6} \times \frac{1}{4} \times \frac{3}{5}$

[31-32] □ 안에 알맞은 수를 써넣으시오.

31 $\frac{5}{9} \times \frac{3}{7} = \frac{5 \times 3}{9 \times 7} = \frac{15}{63} = \frac{\square}{\square}$

32 $\frac{5}{9} \times \frac{3}{7} = \frac{5 \times 3}{9 \times 7} = \frac{\square}{\square}$

[33-34] 계산 결과를 찾아 이어 보시오.

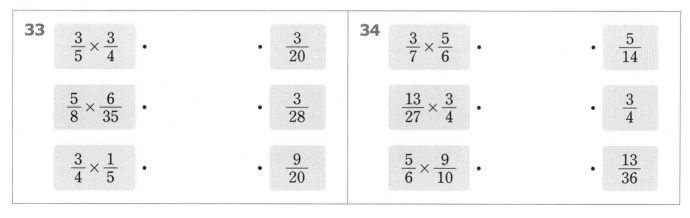

06 (분수)×(분수)

우리는 앞 단원에서 $\dfrac{3}{4} \times \dfrac{5}{6}$ 와 같은 (진분수)×(진분수)를 계산하는 방법을 알아

보았습니다. (진분수)×(진분수)는 분모는 분모끼리 곱하고 분자는 분자끼리 곱하여

계산하였습니다.

$$\frac{3}{4} \times \frac{5}{6} = \frac{3 \times 5}{4 \times 6} = \frac{\overset{5}{\cancel{15}}}{\underset{8}{\cancel{24}}} = \frac{5}{8}$$

그렇다면 $2\dfrac{2}{3} \times 1\dfrac{1}{5}$ 과 같은 (대분수)×(대분수)는 어떻게 계산할까요?

(대분수)×(대분수)는 대분수를 가분수로 바꾸어서 계산하거나 대분수를 자연수 부분과 진분수 부분으로 나누어서 다음과 같이 계산할 수 있습니다.

[방법 1] 대분수를 가분수로 바꾼 후 계산

$$2\frac{2}{3} \times 1\frac{1}{5} = \frac{8}{3} \times \frac{6}{5} = \frac{8 \times 6}{3 \times 5} = \frac{\overset{16}{\cancel{48}}}{\underset{5}{\cancel{15}}} = \frac{16}{5} = 3\frac{1}{5}$$

[방법 2] 대분수를 자연수 부분과 진분수 부분으로 나누어서 계산

$$2\frac{2}{3} \times 1\frac{1}{5} = \left(2\frac{2}{3} \times 1\right) + \left(2\frac{2}{3} \times \frac{1}{5}\right) = 2\frac{2}{3} + \left(\frac{8}{3} \times \frac{1}{5}\right)$$
$$= 2\frac{2}{3} + \frac{8}{15} = 2\frac{10}{15} + \frac{8}{15} = 2\frac{18}{15} = 3\frac{3}{15} = 3\frac{1}{5}$$

곱셈을 하기 전에 약분을 하면 계산이 간단해 질 수 있습니다.

$$2\frac{2}{3} \times 1\frac{1}{5} = \frac{8}{\underset{1}{\cancel{3}}} \times \frac{\overset{2}{\cancel{6}}}{5} = \frac{16}{5}$$
$$= 3\frac{1}{5}$$

(자연수)×(분수), (분수)×(자연수)에서 자연수를 분수 형태인 $\dfrac{(자연수)}{1}$ 로 나타내면

(자연수)×(분수), (분수)×(자연수)의 계산도 분모는 분모끼리 곱하고 분자는 분자끼리 곱하여 다음과 같이 계산할 수 있습니다.

- $3 \times \dfrac{4}{5} = \dfrac{3}{1} \times \dfrac{4}{5} = \dfrac{3 \times 4}{1 \times 5} = \dfrac{12}{5} = 2\dfrac{2}{5}$

- $\dfrac{2}{3} \times 4 = \dfrac{2}{3} \times \dfrac{4}{1} = \dfrac{2 \times 4}{3 \times 1} = \dfrac{8}{3} = 2\dfrac{2}{3}$

3은 $\dfrac{3}{1}$ 으로 나타낼 수 있습니다.

즉, 자연수나 대분수는 모두 가분수 형태로 바꿀 수 있으므로 분수가 들어간 모든 곱셈은 진분수나 가분수 형태로 바꾼 후, 분모는 분모끼리 곱하고 분자는 분자끼리 곱하여 계산할 수 있습니다.

풍산자 비법

(분수)×(분수) ⇨ 진분수나 가분수 형태로 바꾼 후,
분모는 분모끼리 곱하고 분자는 분자끼리 곱한다.

예제 따라 **풀어보는 연산**

예제 **1**

$$1\frac{2}{5} \times 3\frac{1}{3} = \frac{7}{5} \times \frac{10}{3} = \frac{7 \times 10}{5 \times 3} = \frac{\overset{14}{70}}{\underset{3}{15}} = \frac{14}{3} = 4\frac{2}{3}$$

01 $3\frac{3}{5} \times 1\frac{3}{7} =$	**02** $2\frac{2}{3} \times 2\frac{1}{5} =$
03 $1\frac{2}{5} \times 2\frac{2}{3} =$	**04** $2\frac{4}{8} \times 2\frac{1}{4} =$
05 $2\frac{4}{10} \times 1\frac{1}{2} =$	**06** $2\frac{2}{3} \times 1\frac{8}{12} =$

예제 **2**

$$2 \times \frac{3}{5} = \frac{2}{1} \times \frac{3}{5} = \frac{2 \times 3}{1 \times 5} = \frac{6}{5} = 1\frac{1}{5}$$

07 $7 \times \frac{3}{5} =$	**08** $3 \times \frac{3}{7} =$
09 $5 \times \frac{2}{3} =$	**10** $5 \times \frac{5}{6} =$
11 $4 \times \frac{6}{7} =$	**12** $6 \times \frac{2}{5} =$

스스로 풀어보는 연산

13 $1\dfrac{4}{5} \times 2\dfrac{3}{6} =$	**14** $1\dfrac{2}{5} \times 2\dfrac{1}{2} =$
15 $3\dfrac{1}{3} \times 1\dfrac{4}{5} =$	**16** $2\dfrac{3}{4} \times 1\dfrac{2}{5} =$
17 $1\dfrac{2}{7} \times 1\dfrac{2}{7} =$	**18** $1\dfrac{4}{6} \times 1\dfrac{2}{6} =$
19 $2\dfrac{1}{5} \times 2\dfrac{2}{4} =$	**20** $3\dfrac{1}{5} \times 1\dfrac{1}{4} =$
21 $3 \times \dfrac{4}{7} =$	**22** $2 \times \dfrac{8}{9} =$
23 $5 \times \dfrac{3}{4} =$	**24** $7 \times \dfrac{5}{8} =$
25 $4 \times \dfrac{6}{7} =$	**26** $8 \times \dfrac{4}{9} =$

응용 연산

[27-28] 계산 결과를 비교하여 ○ 안에 >, =, <를 알맞게 써넣으시오.

27 $2\frac{8}{11} \times 1\frac{2}{3} \bigcirc 7 \times \frac{5}{6}$

28 $4 \times \frac{2}{3} \bigcirc 1\frac{2}{8} \times 2\frac{2}{5}$

[29-30] 가장 큰 수와 가장 작은 수의 곱을 구하시오.

29
$4\frac{1}{10}$ $2\frac{7}{8}$ $1\frac{2}{3}$ $5\frac{1}{3}$

30
$2\frac{4}{9}$ $3\frac{3}{4}$ $2\frac{5}{8}$ $1\frac{1}{4}$

[31-32] □ 안에 들어갈 수 있는 자연수는 모두 몇 개인지 구하시오.

31 $1\frac{7}{8} \times 1\frac{3}{5} > \square\frac{1}{7}$

32 $3\frac{1}{4} \times 1\frac{3}{7} > \square\frac{1}{14}$

[33-34] 정사각형 '가'와 직사각형 '나'가 있습니다. '가'와 '나' 중 넓이가 더 넓은 것은 무엇인지 구하시오.

33
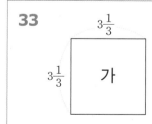

34
$2\frac{1}{5}$ 가 $2\frac{1}{5}$ $4\frac{2}{3}$ 나 $1\frac{1}{5}$

지금까지 우리는 분수의 곱셈을 배웠습니다.

힘들었을 텐데, 잘 풀었어요!

자, 그럼 마지막으로 지금까지 배운 분수의 곱셈을 모두 이용해서
아래 사다리타기 게임을 해 볼까요?
㉠, ㉡, ㉢, ㉣에 알맞은 수를 구해 봅시다.

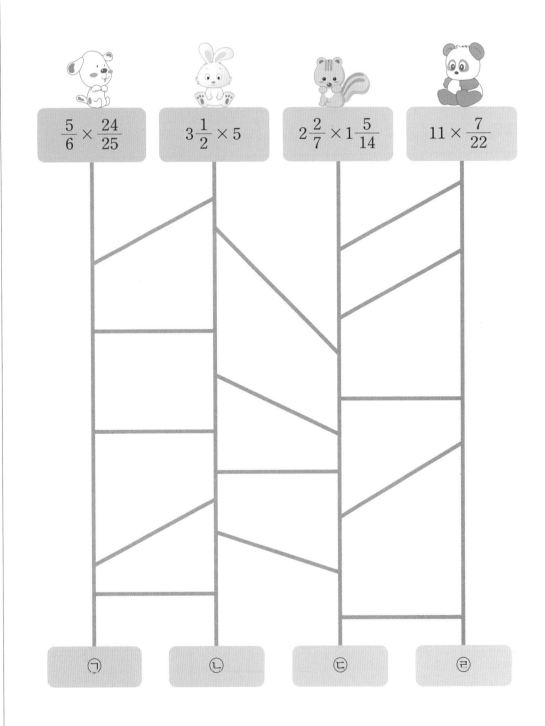

$$\frac{5}{6} \times \frac{24}{25}$$

$$3\frac{1}{2} \times 5$$

$$2\frac{2}{7} \times 1\frac{5}{14}$$

$$11 \times \frac{7}{22}$$

㉠　　㉡　　㉢　　㉣

3

:::

합동과 대칭

07 도형의 합동

우리는 [수학 4-1] 평면도형의 이동에서 평면도형의 밀기, 뒤집기, 돌리기를 알아보았습니다.

평면도형을 밀거나 뒤집거나 돌리면 도형의 위치와 방향은 바뀌지만 모양과 크기는 다음과 같이 변하지 않았습니다.

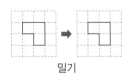
밀기

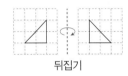
뒤집기

돌리기

그렇다면 모양과 크기가 같은 두 도형을 무엇이라고 할까요?

모양과 크기가 같아서 포개었을 때 완전히 겹치는 두 도형을 서로 **합동**이라고 합니다.

서로 합동인 두 도형을 완전히 포개었을 때 겹치는 점을 **대응점**, 겹치는 변을 **대응변**, 겹치는 각을 **대응각**이라고 합니다.

합동인 도형에서 대응변의 길이는 서로 같고, 대응각의 크기도 서로 같습니다.

모양은 같지만 크기가 다른 두 도형은 합동이 아닙니다.

두 사각형이 합동이면

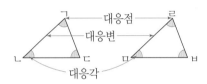

• 대응변의 길이는 서로 같으므로

(변 ㄱㄴ)=(변 ㅁㅂ), (변 ㄴㄷ)=(변 ㅂㅅ)

(변 ㄷㄹ)=(변 ㅅㅇ), (변 ㄹㄱ)=(변 ㅇㅁ)

즉, 변 ㅁㅂ이 5 cm이므로 변 ㄱㄴ도 5 cm이고,

변 ㄴㄷ이 8 cm이므로 변 ㅂㅅ도 8 cm입니다.

• 대응각의 크기는 서로 같으므로

(각 ㄱㄴㄷ)=(각 ㅁㅂㅅ), (각 ㄴㄷㄹ)=(각 ㅂㅅㅇ)

(각 ㄷㄹㄱ)=(각 ㅅㅇㅁ), (각 ㄹㄱㄴ)=(각 ㅇㅁㅂ)

즉, 각 ㄴㄷㄹ이 60°이므로 각 ㅂㅅㅇ도 60°이고,

각 ㅁㅂㅅ이 70°이므로 각 ㄱㄴㄷ도 70°입니다.

풍산자 비법 ✦   합동인 도형에서 대응변의 길이는 서로 같고, 대응각의 크기도 서로 같다.

예제 따라 풀어보는 연산

예제 1 왼쪽 도형과 서로 합동인 도형을 찾아 기호를 쓰시오.

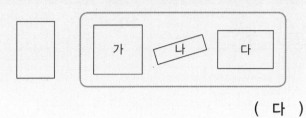

(다)

01

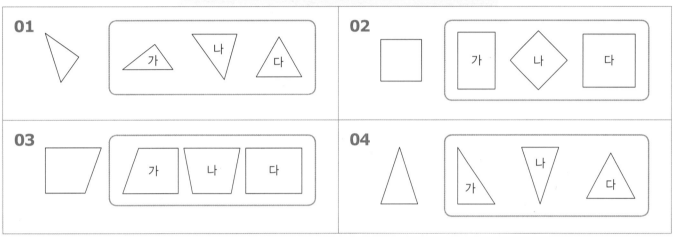

02

03

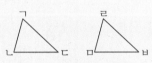

04

예제 2 두 도형은 서로 합동입니다. 다음을 구하시오.

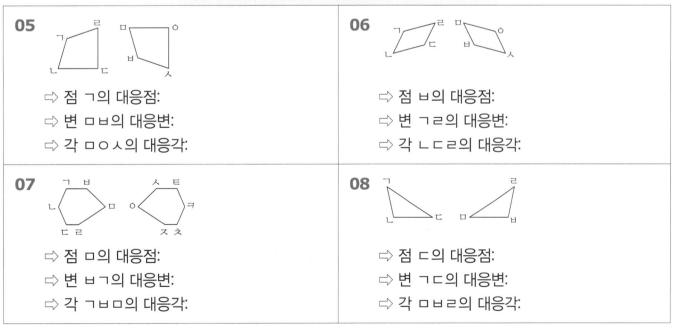

⇨ 점 ㄱ의 대응점: 점 ㄹ

⇨ 변 ㄴㄷ의 대응변: 변 ㅁㅂ

⇨ 각 ㄱㄷㄴ의 대응각: ㄹㅂㅁ

05

⇨ 점 ㄱ의 대응점:

⇨ 변 ㅁㅂ의 대응변:

⇨ 각 ㅁㅇㅅ의 대응각:

06

⇨ 점 ㅂ의 대응점:

⇨ 변 ㄱㄹ의 대응변:

⇨ 각 ㄴㄷㄹ의 대응각:

07

⇨ 점 ㅁ의 대응점:

⇨ 변 ㅂㄱ의 대응변:

⇨ 각 ㄱㅂㅁ의 대응각:

08

⇨ 점 ㄷ의 대응점:

⇨ 변 ㄱㄷ의 대응변:

⇨ 각 ㅁㅂㄹ의 대응각:

[09-12] 나머지 셋과 합동이 아닌 도형을 찾아 기호를 쓰시오.

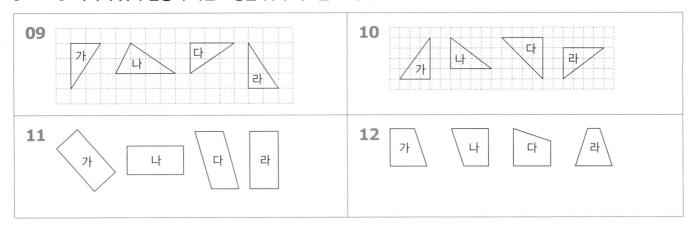

[13-16] 두 도형은 서로 합동입니다. 다음을 구하시오.

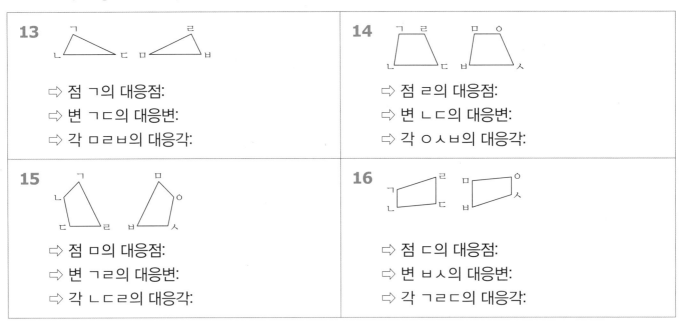

13
⇨ 점 ㄱ의 대응점:
⇨ 변 ㄱㄷ의 대응변:
⇨ 각 ㅁㄹㅂ의 대응각:

14
⇨ 점 ㄹ의 대응점:
⇨ 변 ㄴㄷ의 대응변:
⇨ 각 ㅇㅅㅂ의 대응각:

15
⇨ 점 ㅁ의 대응점:
⇨ 변 ㄱㄹ의 대응변:
⇨ 각 ㄴㄷㄹ의 대응각:

16
⇨ 점 ㄷ의 대응점:
⇨ 변 ㅂㅅ의 대응변:
⇨ 각 ㄱㄹㄷ의 대응각:

[17-20] 두 도형은 서로 합동입니다. 대응점, 대응변, 대응각은 각각 몇 쌍 있는지 구하시오.

17
대응점: ☐쌍, 대응변: ☐쌍, 대응각: ☐쌍

18
대응점: ☐쌍, 대응변: ☐쌍, 대응각: ☐쌍

19
대응점: ☐쌍, 대응변: ☐쌍, 대응각: ☐쌍

20
대응점: ☐쌍, 대응변: ☐쌍, 대응각: ☐쌍

[21-22] 두 도형은 서로 합동입니다. 주어진 각의 크기를 구하시오.

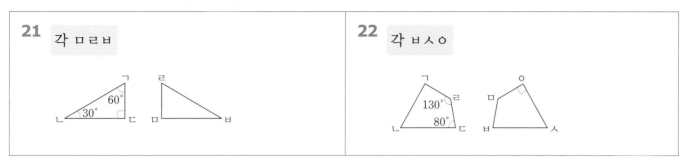

[23-24] 두 도형은 서로 합동입니다. 주어진 변의 길이를 구하시오.

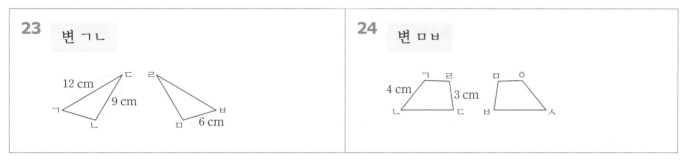

[25-26] 두 도형은 서로 합동입니다. 사각형 ㄱㄴㄷㄹ의 둘레는 몇 cm인지 구하시오.

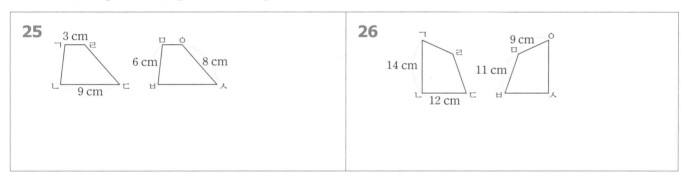

[27-28] □ 안에 알맞은 수를 써넣으시오.

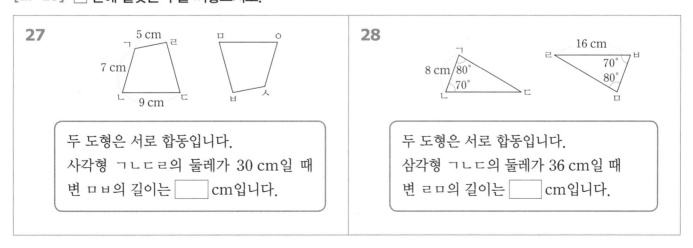

27

두 도형은 서로 합동입니다.
사각형 ㄱㄴㄷㄹ의 둘레가 30 cm일 때
변 ㅁㅂ의 길이는 □ cm입니다.

28

두 도형은 서로 합동입니다.
삼각형 ㄱㄴㄷ의 둘레가 36 cm일 때
변 ㄹㅁ의 길이는 □ cm입니다.

선대칭도형

우리는 앞 단원에서 도형의 합동을 알아보았습니다.

모양과 크기가 같아서 포개었을 때, 완전히 겹치는

두 도형을 서로 합동이라고 하였습니다.

합동인 도형에서 대응변의 길이와 대응각의 크기는 각각 서로 같았습니다.

대응점: 겹치는 점
대응변: 겹치는 변
대응각: 겹치는 각

그렇다면 한 직선을 따라 접어서 완전히 겹치는 도형을 무엇이라고 할까요?

한 직선을 따라 접어서 완전히 겹치는 도형을

선대칭도형이라고 합니다. 이때 그 직선을 **대칭축**

이라고 합니다.

대칭축을 따라 포개었을 때 겹치는 점을 **대응점**, 겹치는 변을 **대응변**, 겹치는 각을

대응각이라고 합니다.

선대칭도형에는 다음과 같은 성질이 있습니다.

선대칭도형에서 대칭축으로 나누어진 두 도형은 서로 합동입니다.

대칭축은 선대칭도형의 모양에 따라 1개일 수도 있고 여러 개일 수도 있습니다.

- 대응변의 길이와 대응각의 크기는 각각 같습니다.

  (변 ㄱㄴ)=(변 ㅁㄹ), (변 ㄴㄷ)=(변 ㄹㄷ)

  (변 ㄱㅂ)=(변 ㅁㅂ)

  (각 ㅂㄱㄴ)=(각 ㅂㅁㄹ), (각 ㄱㄴㄷ)=(각 ㅁㄹㄷ)

- 대응점을 이은 선분은 대칭축과 수직으로 만납니다.

  (각 ㄱㅅㅂ)=(각 ㅁㅅㅂ)=90°, (각 ㄴㅇㄷ)=(각 ㄹㅇㄷ)=90°

- 대칭축은 대응점을 이은 선분을 이등분하므로 각각의 대응점에서 대칭축까지의

  거리는 같습니다.

  (선분 ㄱㅅ)=(선분 ㅁㅅ), (선분 ㄴㅇ)=(선분 ㄹㅇ)

선대칭도형을 그릴 때에는 먼저 선대칭도형의 대칭축을 중심으로 각

점의 대응점을 찾아 표시한 후, 대응점을 차례로 이어 선대칭도형을

완성합니다.

대칭축 위에 있는 도형의 꼭짓점은 대응점이 그 점과 같습니다.

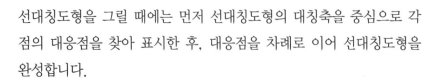

풍산자 비법 선대칭도형 ⇨ 한 직선을 따라 접어서 완전히 겹치는 도형

예제 따라 **풀어보는 연산**

예제 **1**

선대칭도형이 맞으면 ○표, 틀리면 ×표 하시오.
⇨ 한 직선을 따라 접어서 완전히 포개어지는 도형
이므로 선대칭도형이 맞습니다.

(○)

01	02	03	04
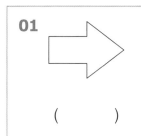			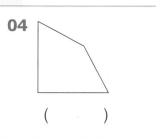
( )	( )	( )	( )

예제 **2**

선대칭도형에 대칭축을 그려 보시오.
⇨ 빨간색 선을 따라 접으면 도형이 완전히 포개어
지므로 대칭축입니다.

05	06	07	08
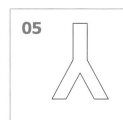			

예제 **3**

선대칭도형의 대칭축은 모두 몇 개인지 구하시오.
⇨ 도형이 완전히 포개어지도록 접을 수 있는 선
은 모두 5개입니다.

09	10	11	12
			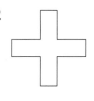

스스로 풀어보는 연산

[13-14] 선대칭도형인 것을 모두 찾아 기호를 쓰시오.

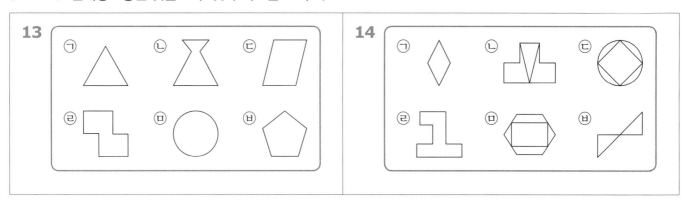

[15-18] 선대칭도형의 대칭축을 모두 찾아 그려 보시오.

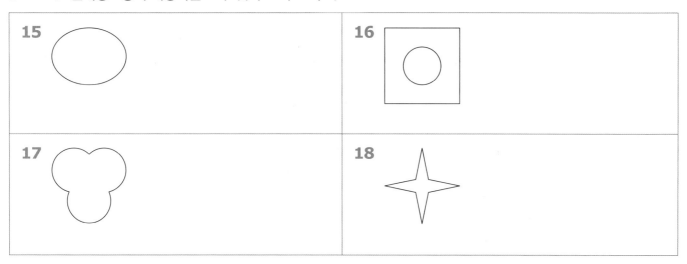

[19-22] 선대칭도형의 대칭축은 모두 몇 개인지 구하시오.

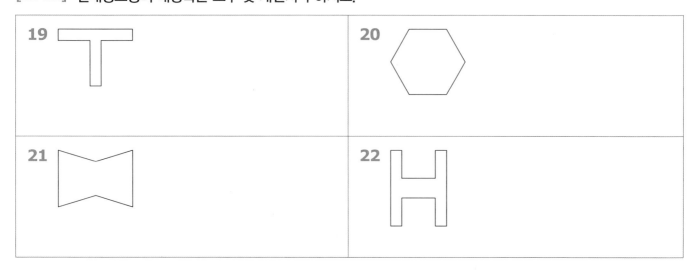

응용 연산

[23-24] 선대칭도형입니다. 다음을 구하시오.

23

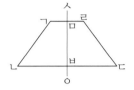

⇨ 점 ㄴ의 대응점:

⇨ 변 ㄴㅂ의 대응변:

⇨ 각 ㅁㄱㄴ의 대응각:

24

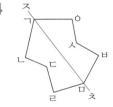

⇨ 점 ㄴ의 대응점:

⇨ 변 ㄷㄹ의 대응변:

⇨ 각 ㄷㄹㅁ의 대응각:

[25-26] 선분 ㄱㄴ을 대칭축으로 하는 선대칭도형입니다. ☐ 안에 알맞은 수를 써넣으시오.

25

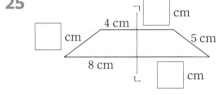

26

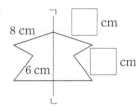

[27-28] 선분 ㄱㄴ을 대칭축으로 하는 선대칭도형입니다. ☐ 안에 알맞은 수를 써넣으시오.

27

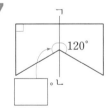

28

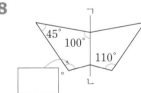

[29-30] 선대칭도형이 되도록 그림을 완성해 보시오.

29

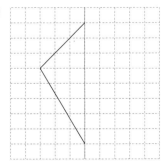

30

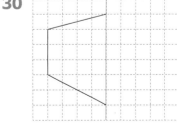

연산으로 개념정복

점대칭도형

우리는 앞 단원에서 선대칭도형을 알아보았습니다.

한 직선을 따라 접어서 완전히 겹치는 도형을 선대칭도형이라고 하였고, 그 직선을 대칭축이라고 하였습니다.

선대칭도형은 대응변의 길이와 대응각의 크기가 각각 같고, 대응점을 이은 선분은 대칭축과 수직으로 만나며, 대칭축은 대응점을 이은 선분을 이등분하므로 각각의 대응점에서 대칭축까지의 거리는 같았습니다.

대칭축은 선대칭도형의 모양에 따라 1개일 수도 있고 여러 개일 수도 있습니다.

그렇다면 어떤 점을 중심으로 돌렸을 때 처음 도형과 완전히 겹치는 도형을 무엇이라고 할까요?

한 도형을 어떤 점을 중심으로 180° 돌렸을 때 처음 도형과 완전히 겹치면 이 도형을 **점대칭도형**이라고 합니다. 이때 그 점을 **대칭의 중심**이라고 합니다.

점대칭도형에서 대칭의 중심은 항상 1개입니다.

대칭의 중심을 중심으로 180° 돌렸을 때 겹치는 점을 **대응점**, 겹치는 변을 **대응변**, 겹치는 각을 **대응각**이라고 합니다.

점대칭도형에는 다음과 같은 성질이 있습니다.

- 대응변의 길이와 대응각의 크기는 각각 같습니다.

  (변 ㄱㄴ)=(변 ㄷㄹ), (변 ㄴㄷ)=(변 ㄹㄱ)

  (각 ㄱㄴㄷ)=(각 ㄷㄹㄱ), (각 ㄴㄷㄹ)=(각 ㄹㄱㄴ)

- 대칭의 중심은 대응점을 이은 선분을 이등분하므로 각각의 대응점에서 대칭의 중심까지의 거리는 같습니다.

  (선분 ㄱㅇ)=(선분 ㄷㅇ), (선분 ㄴㅇ)=(선분 ㄹㅇ)

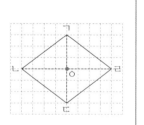

점대칭도형에서 대응점을 이은 선분을 따라 둘로 나누면 두 도형은 합동입니다.

점대칭도형을 그릴 때에는 먼저 각 점에서 대칭의 중심을 지나는 직선을 긋고 각 점에서 대칭의 중심까지의 길이와 같도록 대응점을 찾아 표시한 후, 대응점을 차례로 이어 점대칭도형을 완성합니다.

풍산자 비법 ➡ 점대칭도형 ➡ 한 도형을 어떤 점을 중심으로 180° 돌렸을 때 처음 도형과 완전히 겹치는 도형

예제 따라 **풀어보는 연산**

예제 **1**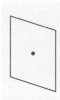

점대칭도형이 맞으면 ○표, 틀리면 ×표 하시오.

⇨ 한 점을 중심으로 180° 돌렸을 때 처음 도형과 완전히 겹치는 도형이므로 점대칭도형이 맞습니다.

(○)

01 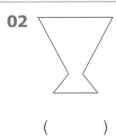	02 	03	04 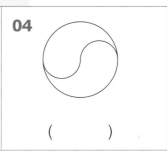
( )	( )	( )	( )

예제 **2**

대칭의 중심을 찾아 점으로 표시해 보시오.

⇨ 빨간색 점을 중심으로 180° 돌리면 처음 도형과 완전히 겹치므로 대칭의 중심입니다.

05	06 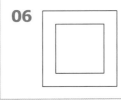	07 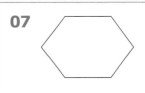	08 

예제 **3**

점 ㅈ을 대칭의 중심으로 하는 점대칭도형입니다. 다음을 구하시오.

⇨ 점 ㄱ의 대응점: 점 ㅁ
⇨ 변 ㄴㄷ의 대응변: 변 ㅂㅅ
⇨ 각 ㄴㄱㅇ의 대응각: 각 ㅂㅁㄹ

09	10 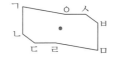
⇨ 점 ㄴ의 대응점: ⇨ 변 ㄱㅂ의 대응변: ⇨ 각 ㄴㄷㄹ의 대응각:	⇨ 점 ㄷ의 대응점: ⇨ 변 ㄱㅇ의 대응변: ⇨ 각 ㅂㅅㅇ의 대응각:

[11-12] 점대칭도형인 것을 모두 찾아 기호를 쓰시오.

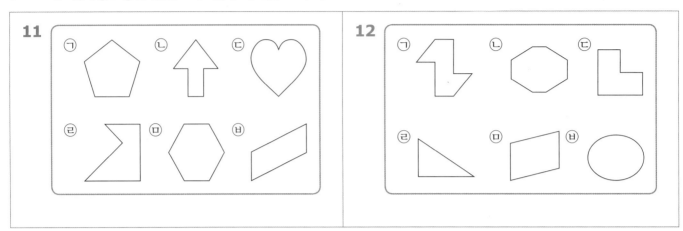

[13-16] 대칭의 중심을 찾아 표시해 보시오.

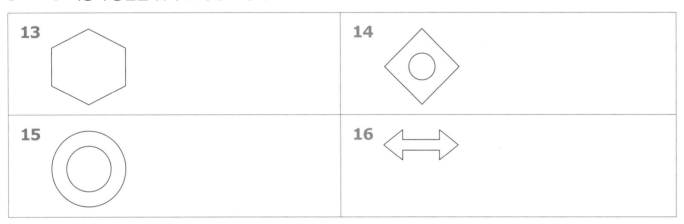

[17-20] 점 ㅇ을 대칭의 중심으로 하는 점대칭도형입니다. 다음을 구하시오.

17

⇨ 점 ㄱ의 대응점:

⇨ 변 ㄴㄷ의 대응변:

⇨ 각 ㄴㄷㄹ의 대응각:

18

⇨ 점 ㄷ의 대응점:

⇨ 변 ㄱㄴ의 대응변:

⇨ 각 ㄹㅁㅂ의 대응각:

19

⇨ 점 ㄴ의 대응점:

⇨ 변 ㄱㄹ의 대응변:

⇨ 각 ㄱㄴㄷ의 대응각:

20

⇨ 점 ㅂ의 대응점:

⇨ 변 ㄷㄹ의 대응변:

⇨ 각 ㅁㄹㄷ의 대응각:

응용 연산

[21-22] 점 ㅇ을 대칭의 중심으로 하는 점대칭도형입니다. ☐ 안에 알맞은 수를 써넣으시오.

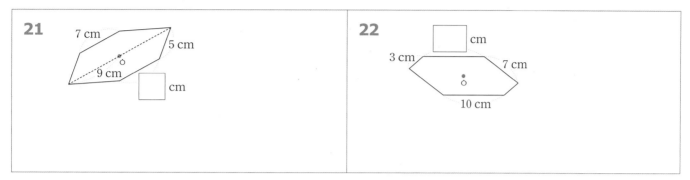

[23-24] 점 ㅇ을 대칭의 중심으로 하는 점대칭도형입니다. ☐ 안에 알맞은 수를 써넣으시오.

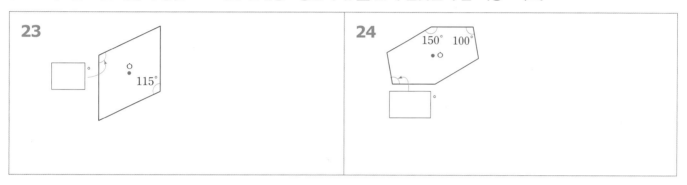

[25-26] 점대칭도형입니다. 도형의 둘레는 몇 cm인지 구하시오.

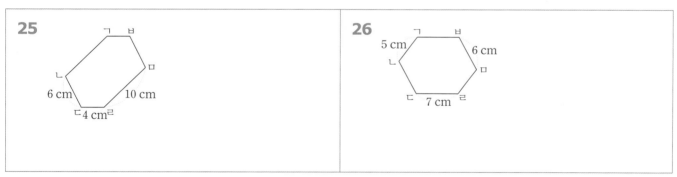

[27-28] 점대칭도형이 되도록 그림을 완성해 보시오.

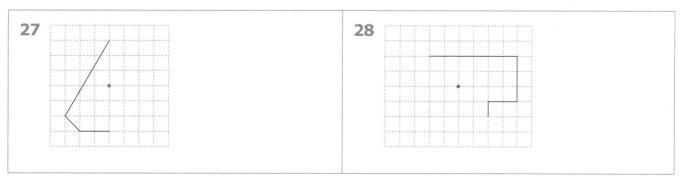

지금까지 우리는 합동과 대칭을 배웠습니다.
힘들었을 텐데, 잘 풀었어요!

자, 그럼 마지막으로 지금까지 배운 합동과 대칭을 이용하여
다음과 같은 펜토미노 조각으로 문제를 해결해 봅시다.

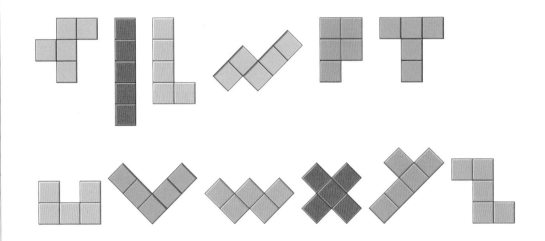

[1] 주어진 펜토미노 조각과 다른 2개의 펜토미노 조각을 이
용하여 합동인 도형을 만들어 보시오.

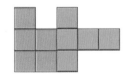

[2] 서로 다른 2개의 펜토미노 조각을 각각 이용하여 합동인 모양 2개를 만들어
보시오.

[3] 주어진 펜토미노 조각과 다른 3개의 펜토미노 조각을 이
용하여 합동인 도형을 만들어 보시오.

[4] 서로 다른 3개의 펜토미노 조각을 각각 이용하여 합동인 모양 2개를 만들어
보시오.

소수의 곱셈

10 (소수)×(자연수)

우리는 [수학 5-2] 분수의 곱셈에서 $\frac{3}{10} \times 4$, $1\frac{1}{5} \times 2$와 같은 (분수)×(자연수)를 계산하는 방법을 알아보았습니다.

(진분수)×(자연수)는 분수의 분모는 그대로 두고 분자와 자연수를 곱하여 계산하였고, (대분수)×(자연수)는 대분수를 가분수로 바꾼 후에 분수의 분모는 그대로 두고 분자와 자연수를 곱하여 계산하거나 대분수를 자연수와 진분수의 합으로 보고 다음과 같이 계산하였습니다.

$$\cdot \frac{3}{10} \times 4 = \frac{3 \times 4}{10} = \frac{\overset{6}{\cancel{12}}}{\underset{5}{\cancel{10}}} = \frac{6}{5}$$

$$\cdot 1\frac{1}{5} \times 2 = \frac{6}{5} \times 2 = \frac{6 \times 2}{5} = \frac{12}{5} = 2\frac{2}{5}$$

$$\cdot 1\frac{1}{5} \times 2 = (1 \times 2) + \left(\frac{1}{5} \times 2\right) = 2 + \frac{2}{5} = 2\frac{2}{5}$$

그렇다면 0.6×3, 1.3×4와 같은 (소수)×(자연수)는 어떻게 계산할까요?

(소수)×(자연수)는 소수를 분수로 나타내어 분수의 곱셈으로 계산하거나 0.1의 개수로 다음과 같이 계산할 수 있습니다.

[방법 1] 분수의 곱셈으로 계산

$$\cdot 0.6 \times 3 = \frac{6}{10} \times 3 = \frac{6 \times 3}{10} = \frac{18}{10} = 1.8$$

$$\cdot 1.3 \times 4 = \frac{13}{10} \times 4 = \frac{13 \times 4}{10} = \frac{52}{10} = 5.2$$

[방법 2] 0.1의 개수로 계산

- 0.6×3 ⇨ 0.6은 0.1이 6개이고 0.6×3은 0.1이 $6 \times 3 = 18$(개)이므로 $0.6 \times 3 = 1.8$입니다.

- 1.3×4 ⇨ 1.3은 0.1이 13개이고 1.3×4는 0.1이 $13 \times 4 = 52$(개)이므로 $1.3 \times 4 = 5.2$입니다.

0.6×3을 덧셈식으로 계산
⇨ $0.6 + 0.6 + 0.6 = 1.8$

풍산자 비법 (소수)×(자연수) ⇨ 소수를 분수로 나타내어 계산하거나 0.1의 개수를 구해 계산한다.

예제 따라 **풀어보는 연산**

예제 **1** $0.4 \times 9 = \dfrac{4}{10} \times 9 = \dfrac{4 \times 9}{10} = \dfrac{36}{10} = 3.6$

01 $0.3 \times 5 =$	**02** $0.4 \times 6 =$
03 $1.2 \times 3 =$	**04** $2.3 \times 5 =$
05 $0.41 \times 2 =$	**06** $1.32 \times 3 =$

예제 **2**

$$1.4 \times 4$$

⇨ 1.4는 0.1이 14개이고

1.4×4는 0.1이 14×4＝56(개)이므로

1.4×4＝5.6입니다.

07 $0.6 \times 7 =$	**08** $0.8 \times 4 =$
09 $1.3 \times 5 =$	**10** $3.1 \times 3 =$
11 $0.22 \times 4 =$	**12** $1.05 \times 3 =$

13 $0.9 \times 3 =$	**14** $0.5 \times 7 =$
15 $0.6 \times 9 =$	**16** $0.8 \times 8 =$
17 $7.3 \times 2 =$	**18** $3.6 \times 5 =$
19 $2.8 \times 7 =$	**20** $8.1 \times 3 =$
21 $0.68 \times 3 =$	**22** $0.25 \times 8 =$
23 $2.17 \times 5 =$	**24** $4.23 \times 4 =$
25 $3.65 \times 7 =$	**26** $1.08 \times 9 =$

응용 연산

[27-28] 빈칸에 알맞은 수를 써넣으시오.

27

×		
1.3	6	
1.52	4	

28

×		
0.84	3	
4.7	5	

[29-30] 계산 결과를 비교하여 ○ 안에 >, =, <를 알맞게 써넣으시오.

29 0.9×8 ○ 1.42×5

30 2.5×6 ○ 2.13×9

[31-32] 계산 결과가 큰 것부터 차례대로 기호를 쓰시오.

31

ㄱ 0.8×7　　ㄴ 1.3×4　　ㄷ 0.56×6

32

ㄱ 0.91×4　　ㄴ 0.88×7　　ㄷ 2.7×2

[33-34] 계산 결과를 찾아 이어 보시오.

33

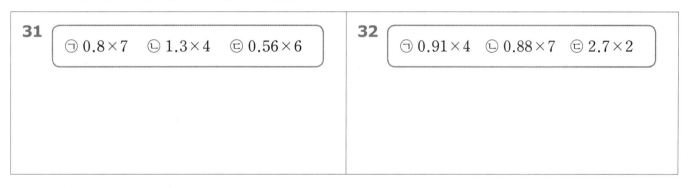

1.8×3 •	• 14.4
2.4×6 •	• 5.4
1.09×5 •	• 5.45

34

2.6×3 •	• 23.94
0.54×3 •	• 1.62
3.42×7 •	• 7.8

11 (자연수)×(소수)

우리는 앞 단원에서 1.5×3과 같은 (소수)×(자연수)를 계산하는 방법을 알아보았습니다.

(소수)×(자연수)는 소수를 분수로 나타내어 분수의 곱셈으로 계산하거나 0.1의 개수로 다음과 같이 계산하였습니다.

> - $1.5 \times 3 = \dfrac{15}{10} \times 3 = \dfrac{15 \times 3}{10} = \dfrac{45}{10} = 4.5$
>
> - $1.5 \times 3 \Rightarrow$ 1.5는 0.1이 15개이고 1.5×3은 0.1이 15×3=45(개)이므로
>   1.5×3=4.5입니다.

그렇다면 4×0.3, 3×2.6과 같은 (자연수)×(소수)는 어떻게 계산할까요?

(자연수)×(소수)는 소수를 분수로 나타내어 분수의 곱셈으로 계산하거나 자연수의 곱셈을 이용하여 다음과 같이 계산할 수 있습니다.

> [방법 1] 분수의 곱셈으로 계산
>
> - $4 \times 0.3 = 4 \times \dfrac{3}{10} = \dfrac{4 \times 3}{10} = \dfrac{12}{10} = 1.2$
>
> - $3 \times 2.6 = 3 \times \dfrac{26}{10} = \dfrac{3 \times 26}{10} = \dfrac{78}{10} = 7.8$
>
> [방법 2] 자연수의 곱셈을 이용하여 계산
>
> - $4 \times 0.3 \Rightarrow 4 \times 3 = 12$이므로 4×0.3=1.2입니다.
> - $3 \times 2.6 \Rightarrow 3 \times 26 = 78$이므로 3×2.6=7.8입니다.
>
> $$4 \times \boxed{3} = 12 \qquad\qquad 3 \times \boxed{26} = 78$$
> $$\Big\downarrow \tfrac{1}{10}\text{배} \qquad \Big\downarrow \tfrac{1}{10}\text{배} \qquad\quad \Big\downarrow \tfrac{1}{10}\text{배} \qquad \Big\downarrow \tfrac{1}{10}\text{배}$$
> $$4 \times \boxed{0.3} = \boxed{1.2} \qquad\quad 3 \times \boxed{2.6} = 7.8$$

곱해지는 수와 곱하는 수의 순서가 바뀌어도 곱의 결과는 같으므로

(자연수)×(소수)는 (소수)×(자연수)로 바꾸어 계산할 수 있습니다.

즉, $2 \times 0.6 = 0.6 \times 2 = \dfrac{6}{10} \times 2 = \dfrac{6 \times 2}{10} = \dfrac{12}{10} = 1.2$입니다.

곱하는 수가 1보다 작으면 곱의 결과는 곱해지는 수보다 작고, 곱하는 수가 1보다 크면 곱의 결과는 곱해지는 수보다 큽니다.

곱하는 수가 $\dfrac{1}{10}$배가 되면 계산 결과도 $\dfrac{1}{10}$배가 됩니다.

풍산자 비법 (자연수)×(소수) ⇨ 소수를 분수로 나타내어 계산하거나 자연수의 곱셈을 이용하여 계산한다.

예제 따라 **풀어보는 연산**

예제 **1**

$$4 \times 1.6 = 4 \times \frac{16}{10} = \frac{4 \times 16}{10} = \frac{64}{10} = 6.4$$

01 $3 \times 0.7 =$	**02** $8 \times 0.5 =$
03 $2 \times 3.3 =$	**04** $6 \times 1.8 =$
05 $4 \times 0.44 =$	**06** $8 \times 1.13 =$

예제 **2**

$$5 \times 35 = 175$$
$$\Rightarrow 5 \times 3.5 = 17.5$$

07 $2 \times 1.7 =$	**08** $5 \times 1.9 =$
09 $24 \times 0.6 =$	**10** $35 \times 0.8 =$
11 $9 \times 0.67 =$	**12** $6 \times 1.08 =$

13 $5 \times 1.4 =$

14 $7 \times 1.2 =$

15 $8 \times 1.3 =$

16 $6 \times 2.2 =$

17 $11 \times 0.5 =$

18 $13 \times 0.7 =$

19 $21 \times 1.8 =$

20 $15 \times 2.6 =$

21 $4 \times 0.17 =$

22 $9 \times 0.38 =$

23 $3 \times 1.24 =$

24 $2 \times 2.35 =$

25 $30 \times 0.22 =$

26 $20 \times 1.56 =$

응용 연산

[27-28] 빈칸에 알맞은 수를 써넣으시오.

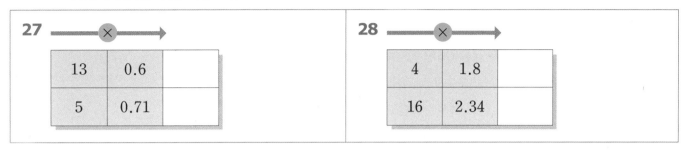

27 ×
13	0.6	
5	0.71	

28 ×
4	1.8	
16	2.34	

[29-30] 어림하여 계산 결과가 7보다 큰 것을 찾아 기호를 쓰시오.

29
㉠ 7의 0.64 ㉡ 8의 0.91배
㉢ 7×0.99

30
㉠ 6의 1.02배 ㉡ 4×2.01
㉢ 2의 3.15

[31-32] 잘못 계산한 사람은 누구인지 쓰시오.

31

주하: $20 \times 0.8 = 20 \times \dfrac{8}{10} = \dfrac{20 \times 8}{10}$
$= \dfrac{160}{10} = 1.6$

민지: $24 \times 0.5 = 24 \times \dfrac{5}{10} = \dfrac{24 \times 5}{10}$
$= \dfrac{120}{10} = 12$

32

주혁: $48 \times 0.06 = 48 \times \dfrac{6}{100} = \dfrac{48 \times 6}{100}$
$= \dfrac{288}{100} = 2.88$

준열: $7 \times 0.12 = 7 \times \dfrac{12}{100} = \dfrac{7 \times 12}{100}$
$= \dfrac{84}{100} = 8.4$

[33-34] 계산 결과를 찾아 이어 보시오.

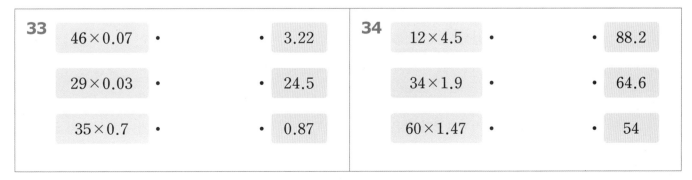

33
46×0.07 •	• 3.22
29×0.03 •	• 24.5
35×0.7 •	• 0.87

34
12×4.5 •	• 88.2
34×1.9 •	• 64.6
60×1.47 •	• 54

12 (1보다 작은 소수)×(1보다 작은 소수)

우리는 앞 단원에서 3×1.6과 같은 (자연수)×(소수)를 계산하는 방법을 알아보았습니다. (자연수)×(소수)는 소수를 분수로 나타내어 분수의 곱셈으로 계산하거나 자연수의 곱셈을 이용하여 다음과 같이 계산하였습니다.

> - $3 \times 1.6 = 3 \times \dfrac{16}{10} = \dfrac{3 \times 16}{10} = \dfrac{48}{10} = 4.8$
> - $3 \times 1.6 \Rightarrow 3 \times 16 = 48$이므로 $3 \times 1.6 = 4.8$입니다.

그렇다면 0.7×0.2, 0.14×0.4와 같은 (1보다 작은 소수)×(1보다 작은 소수)는 어떻게 계산할까요?

(1보다 작은 소수)×(1보다 작은 소수)는 소수를 분수로 나타내어 분수의 곱셈으로 계산하거나 자연수의 곱셈을 이용하여 다음과 같이 계산할 수 있습니다.

> [방법 1] 분수의 곱셈으로 계산
> - $0.7 \times 0.2 = \dfrac{7}{10} \times \dfrac{2}{10} = \dfrac{14}{100} = 0.14$
> - $0.14 \times 0.4 = \dfrac{14}{100} \times \dfrac{4}{10} = \dfrac{56}{1000} = 0.056$
>
> [방법 2] 자연수의 곱셈을 이용하여 계산
> - $0.7 \times 0.2 \Rightarrow 7 \times 2 = 14$이므로 $0.7 \times 0.2 = 0.14$입니다.
> - $0.14 \times 0.4 \Rightarrow 14 \times 4 = 56$이므로 $0.14 \times 0.4 = 0.056$입니다.
>

소수의 곱셈은 자연수의 곱셈 결과에 소수의 크기를 생각해서 소수점을 찍어 계산할 수도 있습니다.

예를 들면, 0.8×0.9에서 8×9=72인데 0.8에 0.9를 곱하면 0.8보다 작은 값이 나와야 하므로 0.8×0.9=0.72입니다.

1보다 작은 두 소수의 곱셈의 결과는 항상 1보다 작습니다.

곱해지는 수가 $\dfrac{1}{10}$ 배, 곱하는 수가 $\dfrac{1}{10}$ 배가 되면 계산 결과는 $\dfrac{1}{100}$ 배가 됩니다.

풍산자 비법 (1보다 작은 소수)×(1보다 작은 소수) ⇨ 소수를 분수로 나타내어 계산하거나 자연수의 곱셈을 이용하여 계산한다.

예제 따라 **풀어보는 연산**

예제 **1** $0.6 \times 0.8 = \dfrac{6}{10} \times \dfrac{8}{10} = \dfrac{48}{100} = 0.48$

01 $0.2 \times 0.3 =$	**02** $0.4 \times 0.8 =$
03 $0.5 \times 0.4 =$	**04** $0.3 \times 0.9 =$
05 $0.42 \times 0.2 =$	**06** $0.6 \times 0.71 =$

예제 **2**

$$5 \times 13 = 65$$
$$\Rightarrow 0.5 \times 0.13 = 0.065$$

07 $0.7 \times 0.8 =$	**08** $0.6 \times 0.5 =$
09 $0.7 \times 0.35 =$	**10** $0.8 \times 0.24 =$
11 $0.2 \times 0.58 =$	**12** $0.52 \times 0.4 =$

13 $0.7 \times 0.3 =$	**14** $0.8 \times 0.9 =$
15 $0.4 \times 0.4 =$	**16** $0.6 \times 0.8 =$
17 $0.25 \times 0.6 =$	**18** $0.45 \times 0.7 =$
19 $0.55 \times 0.3 =$	**20** $0.71 \times 0.6 =$
21 $0.02 \times 0.9 =$	**22** $0.36 \times 0.4 =$
23 $0.4 \times 0.86 =$	**24** $0.7 \times 0.28 =$
25 $0.8 \times 0.33 =$	**26** $0.72 \times 0.5 =$

응용 연산

[27-28] 빈칸에 알맞은 수를 써넣으시오.

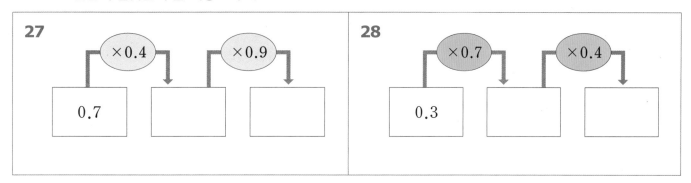

[29-30] 계산 결과를 비교하여 ○ 안에 >, =, <를 알맞게 써넣으시오.

29 $0.5 \times 0.35 \bigcirc 0.18 \times 0.9$

30 $0.7 \times 0.5 \bigcirc 0.84 \times 0.4$

[31-32] 가장 큰 수와 가장 작은 수의 곱을 구하시오.

31
| 0.61 | 0.35 | 0.8 | 0.59 |

32
| 0.9 | 0.22 | 0.48 | 0.77 |

[33-34] ㉠, ㉡, ㉢에 알맞은 수를 각각 구하시오.

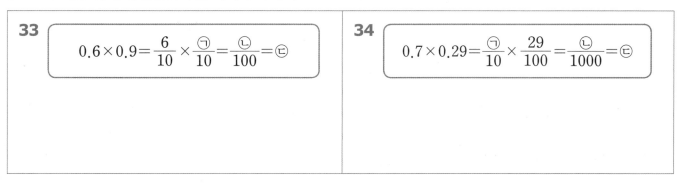

13 (1보다 큰 소수)×(1보다 큰 소수)

우리는 앞 단원에서 0.6×0.4와 같은 (1보다 작은 소수)×(1보다 작은 소수)를 계산하는 방법을 알아보았습니다.

(1보다 작은 소수)×(1보다 작은 소수)는 소수를 분수로 나타내어 분수의 곱셈으로 계산하거나 자연수의 곱셈을 이용하여 다음과 같이 계산하였습니다.

> • $0.6 \times 0.4 = \dfrac{6}{10} \times \dfrac{4}{10} = \dfrac{24}{100} = 0.24$
>
> • $0.6 \times 0.4 \Rightarrow 6 \times 4 = 24$이므로 $0.6 \times 0.4 = 0.24$입니다.

그렇다면 1.3×2.4, 2.15×1.2와 같은 (1보다 큰 소수)×(1보다 큰 소수)는 어떻게 계산할까요?

(1보다 큰 소수)×(1보다 큰 소수)는 소수를 분수로 나타내어 분수의 곱셈으로 계산하거나 자연수의 곱셈을 이용하여 다음과 같이 계산할 수 있습니다.

1보다 큰 두 소수의 곱셈의 결과는 항상 1보다 큽니다.

> [방법 1] 분수의 곱셈으로 계산
>
> • $1.3 \times 2.4 = \dfrac{13}{10} \times \dfrac{24}{10} = \dfrac{312}{100} = 3.12$
>
> • $2.15 \times 1.2 = \dfrac{215}{100} \times \dfrac{12}{10} = \dfrac{2580}{1000} = 2.58$
>
> [방법 2] 자연수의 곱셈을 이용하여 계산
>
> • $1.3 \times 2.4 \Rightarrow 13 \times 24 = 312$이므로 $1.3 \times 2.4 = 3.12$입니다.
>
> • $2.15 \times 1.2 \Rightarrow 215 \times 12 = 2580$이므로 $2.15 \times 1.2 = 2.58$입니다.
>
> $13 \times 24 = \boxed{312}$
> $\downarrow \frac{1}{10}$배 $\quad \downarrow \frac{1}{10}$배 $\quad \downarrow \frac{1}{100}$배
> $1.3 \times 2.4 = \boxed{3.12}$
>
> $215 \times 12 = \boxed{2580}$
> $\downarrow \frac{1}{100}$배 $\quad \downarrow \frac{1}{10}$배 $\quad \downarrow \frac{1}{1000}$배
> $2.15 \times 1.2 = \boxed{2.58}$

소수점 아래 마지막 0은 생략하여 나타냅니다.

1보다 큰 소수의 곱셈도 자연수의 곱셈 결과에 소수의 크기를 생각해서 소수점을 찍어 계산할 수 있습니다. 예를 들면, 1.5×1.2에서 15×12=180인데 1.5에 1.2를 곱하면 1.5보다 큰 값이 나와야 하므로 1.5×1.2=1.8입니다.

> **풍산자 비법** (1보다 큰 소수)×(1보다 큰 소수) ⇨ 소수를 분수로 나타내어 계산하거나 자연수의 곱셈을 이용하여 계산한다.

예제 따라 **풀어보는 연산**

예제 **1** $2.1 \times 1.4 = \dfrac{21}{10} \times \dfrac{14}{10} = \dfrac{294}{100} = 2.94$

01 $1.7 \times 3.8 =$	**02** $1.6 \times 4.5 =$
03 $3.4 \times 1.3 =$	**04** $5.36 \times 1.4 =$
05 $1.65 \times 1.9 =$	**06** $1.12 \times 2.5 =$

예제 **2**
$$49 \times 35 = 1715$$
$$\Rightarrow 4.9 \times 3.5 = 17.15$$

07 $3.4 \times 2.3 =$	**08** $5.6 \times 1.8 =$
09 $7.5 \times 3.4 =$	**10** $3.5 \times 4.9 =$
11 $4.2 \times 5.8 =$	**12** $8.4 \times 2.4 =$

스스로 풀어보는 연산

13 $8.2 \times 6.9 =$

14 $2.3 \times 4.7 =$

15 $2.5 \times 2.6 =$

16 $1.1 \times 4.9 =$

17 $3.9 \times 2.7 =$

18 $1.4 \times 6.7 =$

19 $1.8 \times 9.6 =$

20 $5.2 \times 4.3 =$

21 $2.18 \times 1.6 =$

22 $4.07 \times 1.6 =$

23 $6.24 \times 3.8 =$

24 $2.7 \times 5.11 =$

25 $1.24 \times 4.3 =$

26 $3.03 \times 2.4 =$

[27-28] 빈칸에 알맞은 수를 써넣으시오.

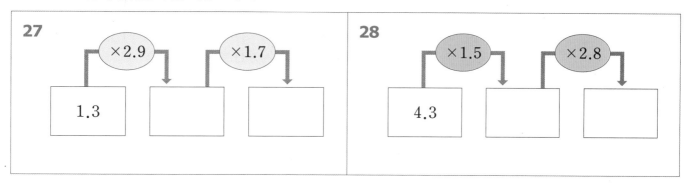

[29-30] 계산 결과를 비교하여 ○ 안에 >, =, <를 알맞게 써넣으시오.

29 1.3×2.4 ◯ 2.8×1.1

30 6.2×1.6 ◯ 3.16×3.5

[31-32] 가장 큰 수와 가장 작은 수의 곱을 구하시오.

31

| 5.7 | 1.91 | 2.33 | 1.04 |

32

| 1.92 | 4.64 | 2.02 | 1.8 |

[33-34] 어림하여 계산 결과가 12보다 큰 것을 찾아 기호를 쓰시오.

33
ㄱ 7.7의 0.5   ㄴ 3.1의 4.1배
ㄷ 3.96×2.9

34
ㄱ 2.5의 3.8   ㄴ 12×1.01
ㄷ 5.1의 1.9배

14 곱의 소수점 위치

우리는 앞 단원에서 1.3×1.5, 1.54×2.6과 같은 (1보다 큰 소수)×(1보다 큰 소수)를 계산하는 방법을 알아보았습니다.

(1보다 큰 소수)×(1보다 큰 소수)는 소수를 분수로 나타내어 분수의 곱셈으로 계산하거나 자연수의 곱셈을 이용하여 다음과 같이 계산하였습니다.

> • 1.3×1.5 ⇨ $13 \times 15 = 195$이므로 $1.3 \times 1.5 = 1.95$입니다.
> • 1.54×2.6 ⇨ $154 \times 26 = 4004$이므로 $1.54 \times 2.6 = 4.004$입니다.

곱해지는 수가 $\frac{1}{10}$배, 곱하는 수가 $\frac{1}{10}$배가 되면 계산 결과는 $\frac{1}{100}$배가 됩니다.

그렇다면 소수의 곱셈에서 곱의 소수점 위치는 어떻게 달라질까요?

소수에 10, 100, 1000을 곱하면 곱하는 수의 0이 하나씩 늘어날 때마다 곱의 소수점이 오른쪽으로 한 칸씩 옮겨지고,

자연수에 0.1, 0.01, 0.001을 곱하면 곱하는 소수의 소수점 아래 자리 수가 하나씩 늘어날 때마다 곱의 소수점이 왼쪽으로 한 칸씩 옮겨집니다.

소수와 자연수의 순서가 바뀌어도 소수점의 위치를 구하는 방법은 같습니다.

$$0.32 \times 10 \Rightarrow 03.2 \Rightarrow 3.2 \quad (10배)$$
$$0.32 \times 100 \Rightarrow 032. \Rightarrow 32 \quad (10배)$$
$$0.32 \times 1000 \Rightarrow 0320. \Rightarrow 320$$

$$210 \times 0.1 \Rightarrow 21.0 \Rightarrow 21 \quad (0.1배)$$
$$210 \times 0.01 \Rightarrow 2.10 \Rightarrow 2.1 \quad (0.1배)$$
$$210 \times 0.001 \Rightarrow 0.210 \Rightarrow 0.21$$

곱의 소수점을 오른쪽(왼쪽)으로 옮길 때 소수점을 옮길 자리가 없으면 오른쪽(왼쪽)으로 0을 더 채워 쓰면서 옮깁니다.

(소수)×(소수)에서 곱의 소수점 위치는 자연수끼리 계산한 결과에 곱하는 두 수의 소수점 아래 자리 수를 더한 것만큼 소수점을 왼쪽으로 옮겨 표시해 주면 됩니다.

풍산자 비법 두 소수의 곱의 소수점 아래 자리 수는 곱하는 두 소수의 소수점 아래 자리 수의 합과 같다.

예제 따라 **풀어보는 연산**

예제 **1**　　2.7×43=116.1
⇨ 2.7×430=1161
0.27×43=11.61

01 5.4×39=210.6
⇨ 5.4×390=
0.54×39=

02 1.8×44=79.2
⇨ 1.8×440=
0.18×44=

03 6.2×78=483.6
⇨ 6.2×780=
0.062×78=

04 3.4×91=309.4
⇨ 3.4×910=
0.034×91=

05 7.3×82=598.6
⇨ 7.3×8200=
0.073×82=

06 3.6×54=194.4
⇨ 3.6×5400=
0.036×54=

예제 **2**　　47×86=4042
⇨ 4.7×8.6=40.42
0.47×8.6=4.042

07 26×28=728
⇨ 2.6×2.8=
0.26×2.8=

08 15×45=675
⇨ 1.5×4.5=
0.15×4.5=

09 63×34=2142
⇨ 6.3×3.4=
0.63×3.4=

10 79×41=3239
⇨ 7.9×4.1=
0.79×4.1=

11 84×29=2436
⇨ 8.4×2.9=
0.84×0.29=

12 92×38=3496
⇨ 9.2×3.8=
0.92×0.38=

13 $7.4 \times 26 = 192.4$
⇨ $7.4 \times 260 =$
$0.74 \times 26 =$

14 $9.3 \times 16 = 148.8$
⇨ $9.3 \times 160 =$
$0.93 \times 16 =$

15 $5.7 \times 28 = 159.6$
⇨ $5.7 \times 280 =$
$0.57 \times 28 =$

16 $3.5 \times 77 = 269.5$
⇨ $3.5 \times 770 =$
$0.035 \times 77 =$

17 $4.6 \times 54 = 248.4$
⇨ $4.6 \times 540 =$
$0.046 \times 54 =$

18 $7.3 \times 82 = 598.6$
⇨ $7.3 \times 8200 =$
$0.73 \times 82 =$

19 $2.5 \times 67 = 167.5$
⇨ $2.5 \times 6700 =$
$0.025 \times 67 =$

20 $4.4 \times 94 = 413.6$
⇨ $4.4 \times 9400 =$
$0.044 \times 94 =$

21 $34 \times 19 = 646$
⇨ $3.4 \times 1.9 =$
$0.34 \times 1.9 =$

22 $57 \times 22 = 1254$
⇨ $5.7 \times 2.2 =$
$0.57 \times 2.2 =$

23 $16 \times 94 = 1504$
⇨ $1.6 \times 9.4 =$
$1.6 \times 0.94 =$

24 $81 \times 35 = 2835$
⇨ $8.1 \times 3.5 =$
$8.1 \times 0.35 =$

25 $59 \times 23 = 1357$
⇨ $0.59 \times 2.3 =$
$0.59 \times 0.23 =$

26 $93 \times 11 = 1023$
⇨ $0.93 \times 1.1 =$
$0.93 \times 0.11 =$

응용 연산

[27-28] 17×91＝1547입니다. ㉠＋㉡을 구하시오.

27
- 1.7×㉠＝15.47
- ㉡×0.091＝0.1547

28
- ㉠×9.1＝1547
- 1.7×㉡＝15470

[29-30] 계산 결과가 다른 하나를 찾아 기호를 쓰시오.

29
- ㉠ 0.094×10
- ㉡ 940×0.001
- ㉢ 9.4×100
- ㉣ 94×0.01

30
- ㉠ 560×0.01
- ㉡ 5600×0.1
- ㉢ 0.56×1000
- ㉣ 5.6×100

[31-32] ☐ 안에 알맞은 수를 구하시오.

31 94×0.22＝0.94×☐

32 36×☐＝0.36×18

[33-34] 계산 결과를 찾아 이어 보시오.

33
1.37×1000	•	•	1370
1.37×10	•	•	137
1.37×100	•	•	13.7

34
680×0.01	•	•	0.68
680×0.001	•	•	68
680×0.1	•	•	6.8

연산으로 개념정복

지금까지 우리는 소수의 곱셈을 배웠습니다.
힘들었을 텐데, 잘 풀었어요!

자, 그럼 마지막으로 지금까지 배운 소수의 곱셈을 모두 이용해서
아래 미로를 탈출해 볼까요?
마지막 ❿에 해당하는 수를 구해 봅시다.

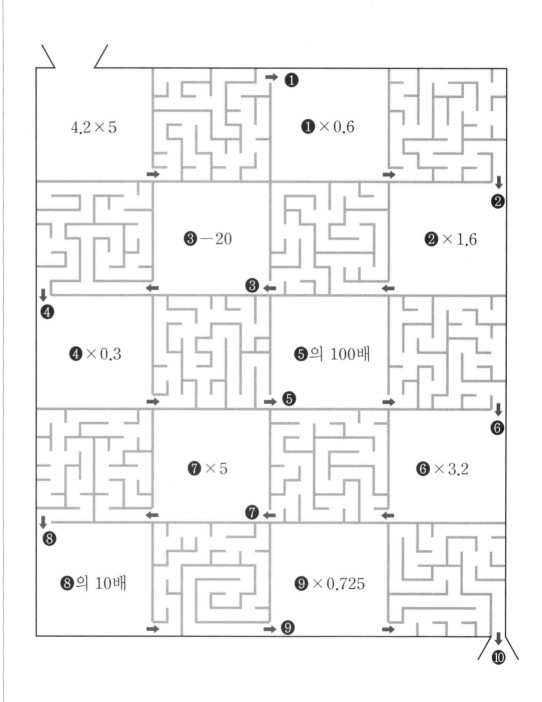

4.2×5

❶ $\times 0.6$

❸ -20

❷ $\times 1.6$

❹ $\times 0.3$

❺의 100배

❼ $\times 5$

❻ $\times 3.2$

❽의 10배

❾ $\times 0.725$

5

:::

직육면체

15 직육면체와 정육면체

우리는 [수학 3-1] 평면도형에서 직사각형과 정사각형을 알아보았습니다.

네 각이 모두 직각인 사각형을 직사각형이라고 하였고, 네 각이 모두 직각이고 네 변의 길이가 모두 같은 사각형을 정사각형이라고 하였습니다.

직사각형

정사각형

정사각형은 직사각형이라고 할 수 있지만 직사각형은 정사각형이라고 할 수 없습니다.

그렇다면 직사각형 또는 정사각형으로 둘러싸인 상자 모양의 도형을 무엇이라고 할까요?

오른쪽 그림과 같이 직사각형 6개로 둘러싸인 도형을 **직육면체**라고 합니다.

직육면체에서 선분으로 둘러싸인 부분을 **면**이라고 하고, 면과 면이 만나는 선분을 **모서리**라고 하며, 모서리와 모서리가 만나는 점을 **꼭짓점**이라고 합니다.

특히, 직육면체 중에서 정사각형 6개로 둘러싸인 도형을 **정육면체**라고 합니다.

정육면체는 직육면체라고 할 수 있지만 직육면체는 정육면체라고 할 수 없습니다.

직육면체와 정육면체의 공통점과 차이점을 찾아보면 다음과 같습니다.

도형	공통점			차이점	
	면의 수	모서리의 수	꼭짓점의 수	면의 모양	모서리의 길이
직육면체	6	12	8	직사각형	서로 다릅니다.
정육면체	6	12	8	정사각형	모두 같습니다.

직육면체의 특징
• 서로 마주 보는 면의 모양과 크기는 같습니다.
• 서로 평행한 모서리의 길이는 같습니다.

풍산자 비법

❶ 직육면체 ⇨ 직사각형 6개로 둘러싸인 도형

❷ 정육면체 ⇨ 정사각형 6개로 둘러싸인 도형

예제 따라 **풀어보는 연산**

예제 **1** 직육면체가 맞으면 ○표, 틀리면 ×표 하시오.
⇨ 직사각형 6개로 둘러싸여 있으므로 직육면체
입니다.

(○)

01	02	03	04
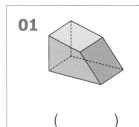			
( )	( )	( )	( )

예제 **2** 정육면체가 맞으면 ○표, 틀리면 ×표 하시오.
⇨ 정사각형 6개로 둘러싸여 있으므로 정육면체
입니다.

(○)

05	06	07	08
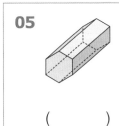		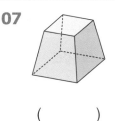	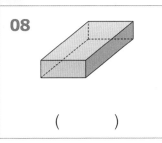
( )	( )	( )	( )

예제 **3** 직육면체에서 보이는 면, 모서리, 꼭짓점의 수를 각각 구하시오.

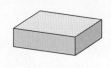 ⇨ 면 (3)개
모서리 (9)개
꼭짓점 (7)개

09	10	11	12
	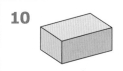	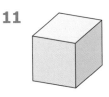	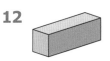
⇨ 면 ( )개 모서리 ( )개 꼭짓점 ( )개	⇨ 면 ( )개 모서리 ( )개 꼭짓점 ( )개	⇨ 면 ( )개 모서리 ( )개 꼭짓점 ( )개	⇨ 면 ( )개 모서리 ( )개 꼭짓점 ( )개

스스로 풀어보는 연산

[13-14] 그림을 보고 물음에 답하시오.

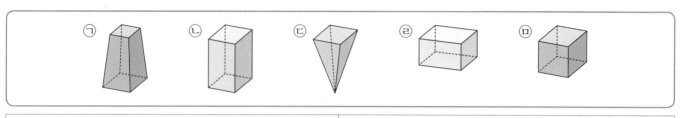

13 직육면체를 모두 찾아 기호를 쓰시오.	14 정육면체를 찾아 기호를 쓰시오.

[15-16] 그림을 보고 물음에 답하시오.

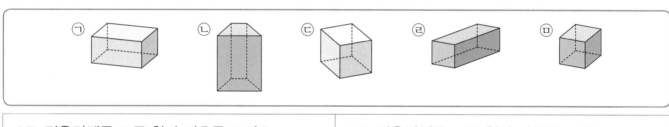

15 직육면체를 모두 찾아 기호를 쓰시오.	16 정육면체를 모두 찾아 기호를 쓰시오.

[17-18] 빈칸에 알맞은 것을 써넣으시오.

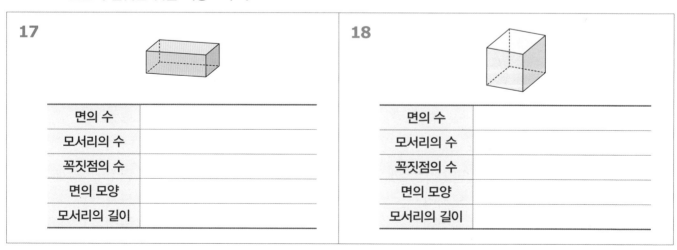

17

면의 수	
모서리의 수	
꼭짓점의 수	
면의 모양	
모서리의 길이	

18

면의 수	
모서리의 수	
꼭짓점의 수	
면의 모양	
모서리의 길이	

[19-20] 직육면체입니다. □ 안에 알맞은 수를 써넣으시오.

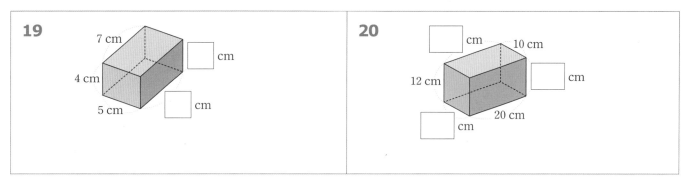

19
7 cm
□ cm
4 cm
5 cm
□ cm

20
□ cm
10 cm
12 cm
□ cm
20 cm
□ cm

[21-22] 정육면체입니다. 모든 모서리의 길이의 합을 구하시오.

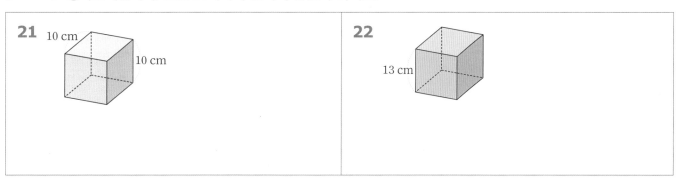

21
10 cm
10 cm

22
13 cm

[23-24] 직육면체와 정육면체에 대해 바르게 설명한 사람은 누구인지 쓰시오.

23
> 수민: 직육면체에서 선분으로 둘러싸인 부분을 모서리라고 해.
> 은우: 모서리와 모서리가 만나는 점은 꼭 짓점이야.

24
> 예지: 정육면체는 직육면체라고 할 수 있어.
> 소라: 직육면체와 정육면체는 면의 모양이 서로 같아.

[25-26] 직육면체와 정육면체에서 보이지 않는 모서리와 꼭짓점의 수의 합을 구하시오.

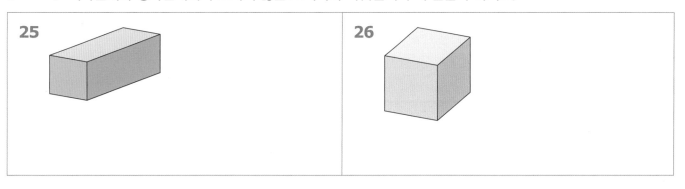

25

26

16 직육면체의 성질과 겨냥도

우리는 앞 단원에서 직육면체와 정육면체를 알아보았습니다.
직육면체는 직사각형 6개로 둘러싸인 도형이고, 정육면체는 정사각형 6개로 둘러싸인 도형이었습니다.

그렇다면 직육면체는 어떤 성질이 있을까요?
오른쪽 그림과 같이 직육면체에서 색칠한 두 면처럼 계속 늘여도 만나지 않는 두 면을 서로 평행하다고 하고, 이 두 면을 직육면체의 **밑면**이라고 합니다.
직육면체에는 평행한 면이 3쌍 있고 이 평행한 면은 각각 밑면이 될 수 있습니다.

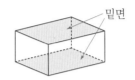

직육면체에서 한 면과 만나는 면들은 서로 수직이고, 밑면과 수직인 면을 직육면체의 **옆면**이라고 합니다.
직육면체에는 한 밑면과 수직인 면이 4개 있고 이 수직인 면은 각각 옆면이 될 수 있습니다.

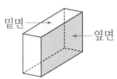

직육면체에서 평행한 3쌍의 면은 서로 모양과 크기가 같습니다.

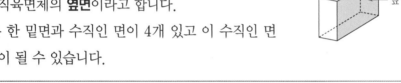

면 ㄱㄴㄷㄹ과 평행한 면 ⇨ 면 ㅁㅂㅅㅇ
면 ㄱㄴㅂㅁ과 평행한 면 ⇨ 면 ㄹㄷㅅㅇ
면 ㄱㅁㅇㄹ과 평행한 면 ⇨ 면 ㄴㅂㅅㄷ
면 ㄱㄴㄷㄹ과 수직인 면 ⇨ 면 ㄴㅂㅁㄱ, 면 ㄴㅂㅅㄷ,
면 ㄷㅅㅇㄹ, 면 ㄱㅁㅇㄹ

직육면체에서 한 꼭짓점과 만나는 면들은 모두 3개이며 한 꼭짓점을 중심으로 모두 직각입니다.

직육면체 모양을 잘 알 수 있도록 나타낸 오른쪽과 같은 그림을 직육면체의 **겨냥도**라고 합니다.
겨냥도에서 보이는 모서리는 실선으로, 보이지 않는 모서리는 점선으로 그립니다.

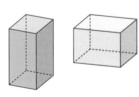

직육면체의 겨냥도에서 보이는 모서리는 9개, 보이지 않는 모서리는 3개입니다.

풍산자 비법
❶ 직육면체의 성질 ⇨ 서로 마주 보고 있는 3쌍의 면은 평행하고, 서로 만나는 면은 수직이다.
❷ 겨냥도 ⇨ 보이는 모서리는 실선으로, 보이지 않는 모서리는 점선으로 그린다.

예제 따라 **풀어보는 연산**

예제 1 직육면체에서 색칠한 면과 평행한 면을 찾아 색칠해 보시오.

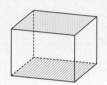

01
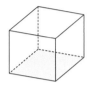

02

03

04

예제 2 색칠한 면과 수직인 면을 한 면만 찾아 색칠해 보시오.

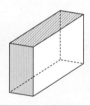

05

06

07

08

예제 3 빠진 부분을 그려 넣어 직육면체의 겨냥도를 완성하시오.

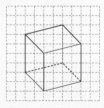

09
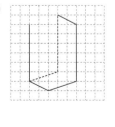

10
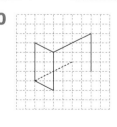

11
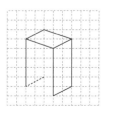

12
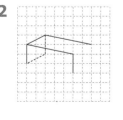

스스로 풀어보는 연산

[13-16] 직육면체에서 색칠한 면과 평행인 면을 찾아 쓰시오.

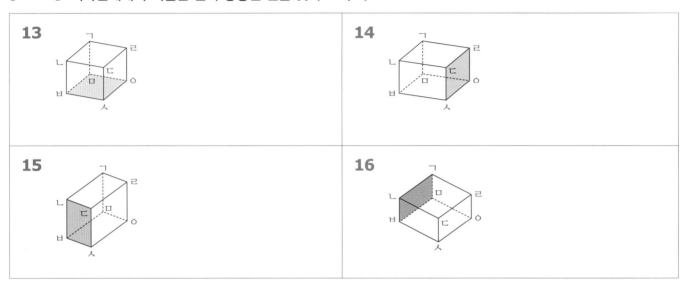

[17-20] 직육면체에서 색칠한 면과 수직인 면을 모두 찾아 쓰시오.

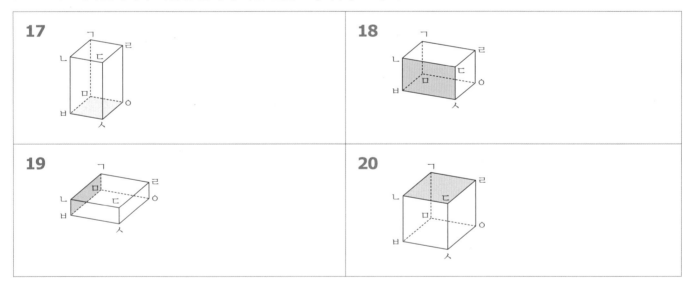

[21-22] 빠진 부분을 그려 넣어 직육면체의 겨냥도를 완성하시오.

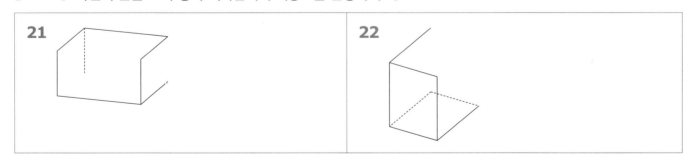

응용 연산

[23-24] 직육면체에서 평행한 면끼리 잘못 짝지어진 것을 찾아 기호를 쓰시오.

23

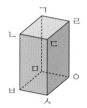

- ㉠ 면 ㄱㄴㄷㄹ과 면 ㅁㅂㅅㅇ
- ㉡ 면 ㄱㄴㅂㅁ과 면 ㄹㄷㅅㅇ
- ㉢ 면 ㄷㅅㅇㄹ과 면 ㄴㅂㅅㄷ
- ㉣ 면 ㄱㅁㅇㄹ과 면 ㄴㅂㅅㄷ

24

- ㉠ 면 ㅁㅂㅅㅇ과 면 ㄱㄴㄷㄹ
- ㉡ 면 ㄹㅇㅅㄷ과 면 ㄱㅁㅂㄴ
- ㉢ 면 ㄱㅁㅇㄹ과 면 ㄴㅂㅅㄷ
- ㉣ 면 ㄱㄴㄷㄹ과 면 ㄹㅇㅅㄷ

[25-26] 직육면체에서 주어진 꼭짓점과 만나는 면을 모두 쓰시오.

25 꼭짓점 ㄴ

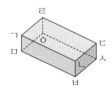

26 꼭짓점 ㅂ

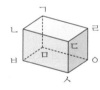

[27-28] 직육면체에서 주어진 면과 평행한 면의 모든 모서리의 길이의 합을 구하시오.

27 면 ㄱㄴㄷㄹ

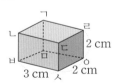

2 cm
3 cm
2 cm

28 면 ㄷㅅㅇㄹ

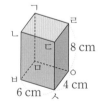

8 cm
6 cm
4 cm

[29-30] 직육면체의 겨냥도에서 보이지 않는 모서리의 길이의 합은 몇 cm인지 구하시오.

29

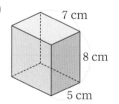

7 cm
8 cm
5 cm

30

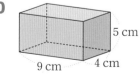

5 cm
9 cm
4 cm

17 정육면체와 직육면체의 전개도

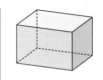

우리는 앞 단원에서 직육면체의 겨냥도에 대해서 알아보았습니다.
겨냥도는 직육면체의 모양을 잘 알 수 있도록 보이는 모서리는 실선으로, 보이지 않는 모서리는 점선으로 그렸습니다.

그렇다면 정육면체와 직육면체의 모서리를 잘라서 펼친 모양은 어떻게 나타낼까요?

정육면체(직육면체)의 모서리를 잘라서 펼쳐 놓은 그림을 정육면체(직육면체)의 **전개도**라고 합니다.
정육면체와 직육면체의 전개도에서 잘린 모서리는 실선으로, 잘리지 않는 모서리는 점선으로 표시합니다.
직육면체의 전개도를 살펴보면 다음과 같은 사실을 알 수 있습니다.

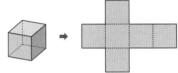

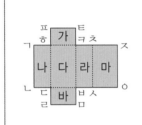 전개도를 접었을 때

- 점 ㅌ과 만나는 점 ⇨ 점 ㅊ
- 선분 ㅌㅋ과 만나는 모서리 ⇨ 선분 ㅊㅋ
- 면 **나**와 평행한 면 ⇨ 면 **라**
- 면 **다**와 수직인 면 ⇨ 면 **가**, 면 **나**, 면 **라**, 면 **바**

직육면체의 전개도를 바르게 그렸는지 확인하기 위해서는 모양과 크기가 같은 면이 3쌍인지, 접었을 때 만나는 모서리의 길이가 같은지, 접었을 때 겹쳐지는 면은 없는지 확인합니다.

또한, 직육면체의 전개도는 모서리를 자르는 방법에 따라 다음과 같이 여러 가지 모양으로 그릴 수 있습니다.

> 정육면체의 전개도에서는 합동인 면이 6개 있습니다.

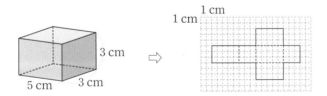

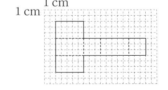

풍산자 비법

전개도에서 잘린 모서리는 실선으로, 잘리지 않는 모서리는 점선으로 그린다.

예제 **1**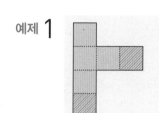
정육면체의 전개도가 맞으면 ○표, 틀리면 ×표를 하시오.
⇨ 주어진 전개도는 빗금 친 두 면이 겹치기 때문에 정육면체의
전개도가 아닙니다.

(×)

01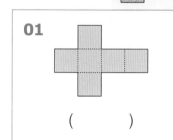

( )

02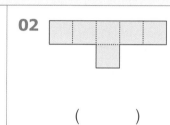

( )

03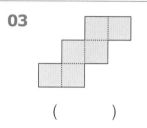

( )

04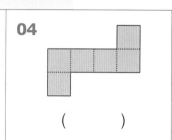

( )

예제 **2**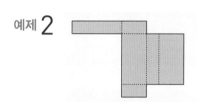
직육면체의 전개도가 맞으면 ○표, 틀리면 ×표를 하시오.
⇨ 주어진 전개도는 겹쳐지는 면이 없으므로 직육면체의
전개도가 맞습니다. (○)

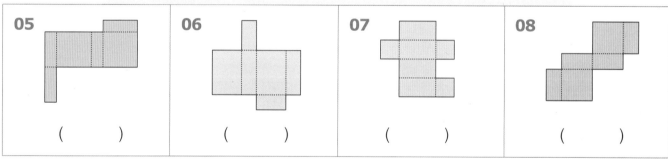

05

( )

06

( )

07

( )

08

( )

예제 **3**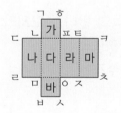
⇨ 점 ㄱ과 만나는 점: (점 ㄷ, 점 ㅋ)
선분 ㄷㄹ과 만나는 모서리: (선분 ㅋㅊ)
면 '다'와 평행한 면: (면 마)
면 '바'와 수직인 면: (면 나, 면 다, 면 라, 면 마)

09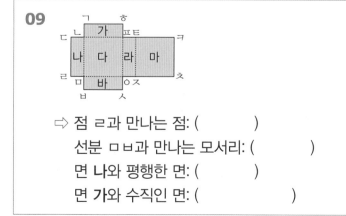

⇨ 점 ㄹ과 만나는 점: ( )
선분 ㅁㅂ과 만나는 모서리: ( )
면 나와 평행한 면: ( )
면 가와 수직인 면: ( )

10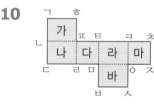

⇨ 점 ㅌ과 만나는 점: ( )
선분 ㅋㅊ과 만나는 모서리: ( )
면 바와 평행한 면: ( )
면 라와 수직인 면: ( )

스스로 풀어보는 연산

[11-14] 직육면체의 전개도를 접었을 때 색칠한 면과 평행한 면에 색칠하시오.

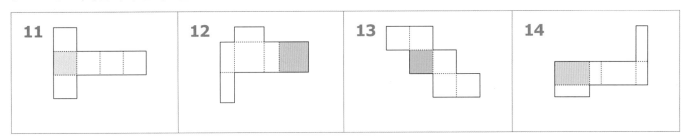

[15-18] 직육면체의 전개도를 접었을 때 색칠한 면과 수직인 면에 색칠하시오.

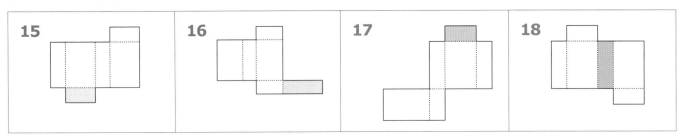

[19-22] 다음을 구하시오.

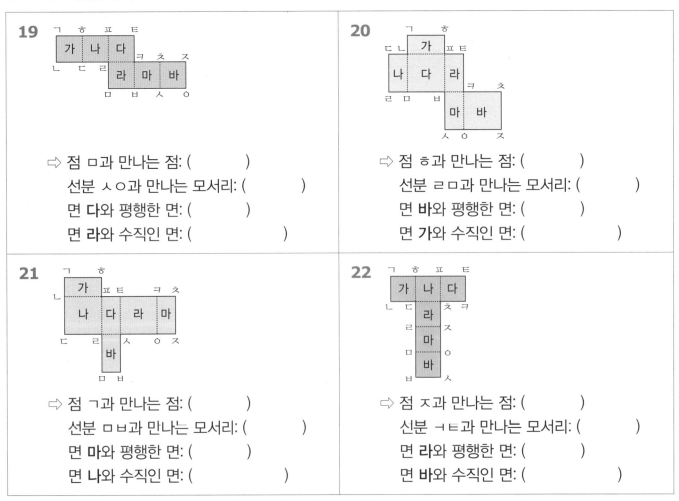

19

⇨ 점 ㅁ과 만나는 점: (　　　　　)
선분 ㅅㅇ과 만나는 모서리: (　　　　)
면 **다**와 평행한 면: (　　　　)
면 **라**와 수직인 면: (　　　　　)

20

⇨ 점 ㅎ과 만나는 점: (　　　　　)
선분 ㄹㅁ과 만나는 모서리: (　　　　　)
면 **바**와 평행한 면: (　　　　)
면 **가**와 수직인 면: (　　　　　　)

21

⇨ 점 ㄱ과 만나는 점: (　　　　　)
선분 ㅁㅂ과 만나는 모서리: (　　　　)
면 **마**와 평행한 면: (　　　　)
면 **나**와 수직인 면: (　　　　)

22

⇨ 점 ㅈ과 만나는 점: (　　　　　)
신분 ㄱㅌ과 만나는 모서리: (　　　　　)
면 **라**와 평행한 면: (　　　　)
면 **바**와 수직인 면: (　　　　　)

[23-24] 직육면체의 겨냥도를 보고 전개도를 그리시오.

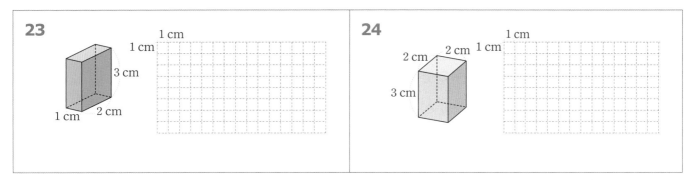

[25-26] 직육면체를 보고 ☐ 안에 알맞은 수를 써넣으시오.

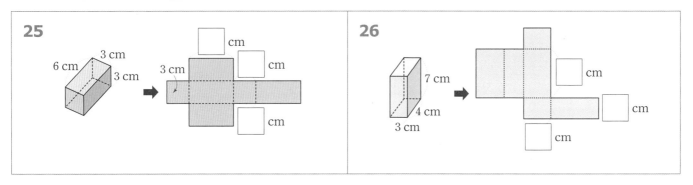

[27-28] ☐ 안에 알맞은 기호를 써넣으시오.

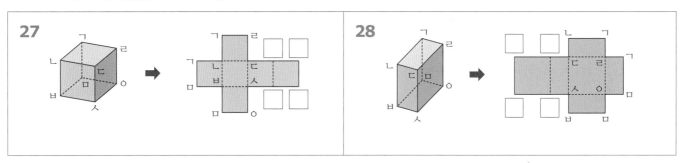

[29-30] 직육면체의 전개도입니다. 주어진 변의 길이를 구하시오.

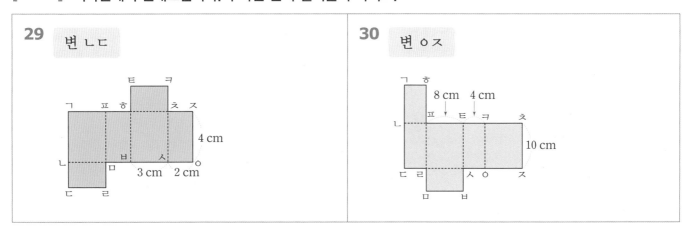

재미있게, 우리 연산하자!

지금까지 우리는 직육면체를 배웠습니다.
힘들었을 텐데, 잘 풀었어요!

자, 그럼 마지막으로 지금까지 배운 직육면체를 모두 이용해서
지하철을 타고 여행을 해 볼까요?
시청역에서 시계 방향으로 지하철을 타고 출발하여
①부터 ⑤까지 나온 수만큼 정거장을 지나간다고 할 때,
각 번호마다 도착역을 모두 구해 봅시다.

① 정육면체의 모서리의 개수   (   )

② 정육면체의 꼭짓점의 개수   (   )

③ 직육면체의 한 밑면과 평행한 면의 개수   (   )

④ 직육면체의 한 밑면과 수직인 면의 개수   (   )

⑤ 직육면체의 한 꼭짓점에서 만나는 모서리의 개수   (   )

6

:::

평균과 가능성

공부할 내용	공부한 날	
18 평균 구하기	월	일
19 평균 이용하기	월	일
20 일이 일어날 가능성	월	일

18 평균 구하기

우리는 [**수학 4-1**]에서 막대그래프를 알아보았습니다.
조사한 자료를 오른쪽 그림과 같이 막대 모양으로 나타낸 그래프를 막대그래프라고 하였습니다.
이 막대그래프를 통해 가장 많은 학생들이 좋아하는 과목은 수학이고, 가장 적은 학생들이 좋아하는 과목은 과학임을 알 수 있었습니다.

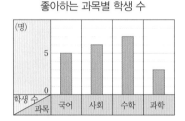

좋아하는 과목별 학생 수

그렇다면 자료를 대표하는 값은 어떻게 정할 수 있을까요?
각 자료의 값을 모두 더하여 자료의 수로 나눈 값을 그 자료를 대표하는 값으로 정할 수 있습니다. 이 값을 **평균**이라고 합니다.

> (평균)＝(자료 값의 합)÷(자료의 수)

■÷▲는 분수 $\frac{■}{▲}$로 나타내어 계산할 수 있음을 [수학 6-1]에서 자세히 배웁니다.

평균은 주어진 자료 전체를 더한 값을 자료의 수로 나누거나 평균을 예상하고 자료의 값을 고르게 하여 다음과 같이 구할 수 있습니다.

민주의 과목별 시험 성적

과목	국어	영어	수학	과학
점수(점)	90	88	92	90

[방법 1] (자료 값의 합)÷(자료의 수)로 평균 구하기

$$(평균)＝\frac{90+88+92+90}{4}＝\frac{360}{4}＝90(점)$$

[방법 2] 자료의 값을 고르게 하여 평균 구하기

평균을 90점으로 예상한 후 (90, 90), (92, 88)로 수를 옮기고 짝지어
수학 92점에서 2점을 영어 88점에 나누어 주어
자료의 값을 고르게 하여 구한 성적의 평균은 90점입니다.

일정한 기준을 정하여 기준보다 많은 것을 부족한 쪽으로 채우면서 고르게 맞추어 평균을 구할 수 있습니다.

풍산자 비법

> (평균)＝(자료 값의 합)÷(자료의 수)

예제 따라 **풀어보는 연산**

예제 1

연희가 마신 우유의 양

요일	월	화	수	목	금
우유의 양(mL)	800	600	250	350	500

$$\Rightarrow (\text{평균}) = \frac{800+600+250+350+500}{5} = \frac{2500}{5} = 500(\text{mL})$$

---

01 지민이네 모둠의 제기차기 기록

이름	지민	은경	희연	찬희	혁찬
개수(개)	5	8	2	9	6

$\Rightarrow (\text{평균}) =$

02 하루에 푼 수학 문제의 수

이름	주은	호철	은호	나라	세아
개수(개)	25	29	24	27	30

$\Rightarrow (\text{평균}) =$

03 요일별 최고 기온

요일	월	화	수	목	금	토	일
기온(℃)	11	14	9	12	9	10	12

$\Rightarrow (\text{평균}) =$

04 주영이네 모둠이 운동한 시간

이름	주영	지석	기찬	송이
운동 시간(분)	70	45	50	35

$\Rightarrow (\text{평균}) =$

예제 2

미진이의 윗몸일으키기 기록

시도	첫 번째	두 번째	세 번째	네 번째
기록(회)	20	24	22	22

예상한 평균: ☐22☐ 회

$\Rightarrow$ 평균을 22회로 예상한 후 (22, 22), (20, 24)로 수를 옮기고 짝 지어 윗몸일으키기 기록 24회에서 2회를 20회에 나누어 주어 자료의 값을 고르게 하여 구한 기록의 평균은 22회입니다.

---

05 진수의 수학 시험 점수

평가 시기(월)	4	5	6	7
점수(점)	80	90	70	80

$\Rightarrow$ 예상한 평균: ☐점

06 준우의 오래매달리기 기록

측정 시기(월)	9	10	11	12
기록(초)	25	31	25	19

$\Rightarrow$ 예상한 평균: ☐초

07 태수의 팔굽혀펴기 기록

시도	첫 번째	두 번째	세 번째	네 번째
기록(개)	10	14	10	6

$\Rightarrow$ 예상한 평균: ☐개

08 지수가 읽은 동화책 쪽수

날짜(일)	1	2	3	4	5
쪽수(쪽)	14	20	16	18	22

$\Rightarrow$ 예상한 평균: ☐쪽

스스로 풀어보는 연산

[09-14] 나눗셈을 이용하여 자료의 평균을 구하시오.

09 간식별 가격

간식	초콜릿	과자	사탕	젤리
가격(원)	800	1000	300	500

10 반별 학생 수

반	1	2	3	4	5
학생 수(명)	29	26	30	27	28

11 요일별 온도

요일	월	화	수	목	금
온도(℃)	15	16	12	20	12

12 월별 독서량

월(월)	3	4	5	6	7
독서량(권)	3	5	4	7	6

13 연도별 강수량

연도(년)	2015	2016	2017	2018
강수량(mm)	500	700	650	850

14 유진이의 과목별 점수

과목	국어	수학	사회	과학
점수(점)	96	95	82	83

[15-20] 자료의 값을 고르게 하여 평균을 구하시오.

15 우진이네 반 학생들의 몸무게

이름	우진	승우	예원	태우
몸무게(kg)	40	36	40	44

16 지우의 훌라후프 돌리기 기록

시도	첫 번째	두 번째	세 번째	네 번째
기록(회)	16	18	14	16

17 좋아하는 운동별 학생 수

운동	축구	농구	야구	피구
학생 수(명)	8	11	5	8

18 하루 중 최고 기온

날짜(일)	1	2	3	4
기온(℃)	15	20	25	20

19 혜수가 마신 주스의 양

요일	월	화	수	목	금
주스의 양(mL)	200	240	230	210	220

20 요일별 운동 시간

요일	월	화	수	목	금
시간(분)	45	40	45	40	55

[21-22] 민성이와 예지의 줄넘기 기록을 나타낸 표입니다. 물음에 답하시오.

민성이의 줄넘기 기록

월(월)	3	4	5	6
기록(회)	20	25	28	35

예지의 줄넘기 기록

월(월)	3	4	5	6
기록(회)	16	24	32	40

21 민성이와 예지의 줄넘기 기록의 평균을 각각 구하시오.

22 둘 중 누가 더 잘했다고 볼 수 있는지 쓰시오.

[23-24] 책의 종류별 판매량을 나타낸 표입니다. 물음에 답하시오.

종류별 책 판매량

책	만화책	위인전	소설책	동화책	시집
판매량(권)	150	145	200	190	110

23 책의 평균 판매량을 구하시오.

24 다섯 종류의 책 중에서 판매량이 평균보다 적은 책은 더 이상 생산하지 않기로 했습니다. 생산을 중지해야 할 책을 모두 찾아 쓰시오.

[25-26] 호진이네 반의 배드민턴 경기별 점수를 나타낸 표입니다. 물음에 답하시오.

경기별 얻은 점수

경기	첫 번째	두 번째	세 번째	네 번째	다섯 번째
점수(점)	15	18	16	25	21

25 호진이네 반의 배드민턴 경기 점수의 평균을 구하시오.

26 호진이네 반이 여섯 경기 동안 얻은 점수의 평균이 다섯 경기 동안 얻은 점수의 평균보다 높으려면 여섯 번째 경기에서는 몇 점을 얻어야 하는지 예상해 보시오.

19 평균 이용하기

우리는 앞 단원에서 평균 구하는 방법을 알아보았습니다.

평균은 주어진 자료 전체를 더한 값을 자료의 수로 나누거나 평균을 예상하고 자료의 값을 고르게 하여 구할 수 있었습니다.

그렇다면 다양한 문제를 해결할 때 평균을 어떻게 이용할까요?

평균을 이용하면 두 집단 사이의 통계적 사실을 한눈에 알기 쉽게 비교할 수 있습니다.

자료의 수가 다른 두 집단을 비교할 때에는 평균을 비교해야 공평합니다.

월별 도서관 이용자 수					
월(월)	3	4	5	6	7
남학생(명)	75	70	47	64	79
여학생(명)	87	74	46	55	68

- 남학생의 월별 평균 도서관 이용자 수: $\dfrac{75+70+47+64+79}{5} = \dfrac{335}{5} = 67$(명)
- 여학생의 월별 평균 도서관 이용자 수: $\dfrac{87+74+46+55+68}{5} = \dfrac{330}{5} = 66$(명)

따라서 월별 평균 도서관 이용자 수는 남학생이 1명 더 많습니다.

또한, 평균을 이용하면 모르는 자료 값을 구할 수 있습니다.

(평균)＝(자료 값의 합)÷(자료의 수)에서 (자료 값의 합)＝(평균)×(자료의 수)이므로 평균을 이용하여 자료 값의 합을 구한 후, 자료 값의 합에서 모르는 자료 값을 제외한 나머지 자료 값을 **빼어** 모르는 자료 값을 구합니다.

민주의 윗몸일으키기 평균 기록이 24번일 때, 3회에 몇 번 했는지 알아봅시다.

민주의 윗몸일으키기 기록				
회(회)	1	2	3	4
기록(번)	20	31		28

⇨ 민주는 4회 동안 윗몸일으키기를 $24 \times 4 = 96$(번) 했습니다.

따라서 민주는 3회에 윗몸일으키기를 $96 - (20+31+28) = 96 - 79 = 17$(번) 했습니다.

풍산자 비법

(평균)＝(자료 값의 합)÷(자료의 수) ⇨ (자료 값의 합)＝(평균)×(자료의 수)

예제 따라 **풀어보는 연산**

예제 **1**

제기차기 기록

회(회)	1	2	3	4	5
재호의 기록(개)	2	0	8	4	1
수빈이의 기록(개)	5	7	2	6	0

$$(\text{재호의 평균})=\frac{2+0+8+4+1}{5}=\frac{15}{5}=3(\text{개})$$

$$(\text{수빈이의 평균})=\frac{5+7+2+6+0}{5}=\frac{20}{5}=4(\text{개})$$

⇨ 제기차기 평균 기록은 수빈이가 1개 더 많습니다.

01

단체 줄넘기 기록

회(회)	1	2	3	4
1반의 기록(개)	7	12	11	18
2반의 기록(개)	16	17	10	13

(1반의 평균)=

(2반의 평균)=

⇨ 단체 줄넘기 평균 기록은 ☐반이 ☐개 더 많습니다.

02

투호 놀이 기록

회(회)	1	2	3	4	5
진우의 기록(개)	8	5	9	6	7
태우의 기록(개)	4	13	7	6	10

(진우의 평균)=

(태우의 평균)=

⇨ 투호 놀이 평균 기록은 ☐가 ☐개 더 많습니다.

예제 **2**

빈칸에 알맞은 수를 구하시오.

현지의 걷기 운동 시간

요일	월	화	수	목	금	평균
시간(분)	36	40		27	37	37

⇨ 월요일부터 금요일까지 걷기 운동을 $37\times5=185$(분) 했습니다. 따라서 수요일에 현지가 걷기 운동을 한 시간은 $185-(36+40+27+37)=45$(분)입니다.

03

진주의 중간고사 점수

과목	국어	영어	수학	사회	과학	평균
점수(점)		90	80	70	60	75

04

솔이네 모둠의 도서 대출 책 수

이름	솔이	준혁	영찬	원준	평균
책 수(권)		25	13	28	21

05

전시회의 방문객 수

날짜(일)	10	11	12	13	14	평균
방문객 수(명)	209	164	199		106	170

06

사과 수확량

요일	토	일	월	화	평균
수확량(상자)		268	217	230	250

스스로 풀어보는 연산

[07-10] 기록이 더 좋다고 말할 수 있는 학생은 누구인지 구하시오.

07 1분당 타자 기록

회(회)	1	2	3	4
수호의 기록(타)	120	128	120	140
영찬이의 기록(타)	136	123	130	139

08 200 m 달리기 기록

회(회)	1	2	3	4
주원이의 기록(초)	35	38	39	36
준혁이의 기록(초)	42	48	33	37

09 줄넘기 기록

회(회)	1	2	3	4
희철이의 기록(번)	19	13	22	18
호동이의 기록(번)	16	8	25	27

10 윗몸일으키기 기록

회(회)	1	2	3	4
준서의 기록(번)	54	49	60	41
호준이의 기록(번)	38	44	54	60

[11-16] 빈칸에 알맞은 수를 구하시오.

11 학급별 동생이 있는 학생 수

학급(반)	1	2	3	4	평균
학생 수(명)	7	10	5		9

12 농장별 감자 생산량

농장	A	B	C	D	평균
생산량(kg)	78	80		120	105

13 달리기 운동을 한 시간

요일	월	화	수	목	금	평균
시간(분)	27		39	34	17	31

14 축구 교실 회원의 나이

이름	지성	정환	종국	두리	평균
나이(세)	9	8	11		10

15 학급별 학생 수

학급(반)	1	2	3	4	5	평균
학생 수(명)	34	33	37		36	35

16 놀이공원 입장객 수

날짜(일)	1	2	3	4	5	평균
입장객 수(명)		67	82	45	85	71

17 형석이네 모둠과 일우네 모둠 학생들의 몸무게를 나타낸 표입니다. 어느 모둠의 평균 몸무게가 얼마나 더 무거운지 구하시오.

형석이네 모둠

이름	몸무게(kg)
형석	48
계상	39
재민	54

일우네 모둠

이름	몸무게(kg)
일우	47
동진	56
혜성	41
민용	40

18 윤희네 가족과 희연이네 가족의 물 섭취량을 나타낸 표입니다. 어느 가족의 평균 물 섭취량이 얼마나 더 많은지 구하시오.

윤희네 가족

이름	물 섭취량(mL)
엄마	500
아빠	850
오빠	1200
윤희	650

희연이네 가족

이름	물 섭취량(mL)
엄마	300
아빠	1600
언니	800
희연	550
동생	700

19 재영이네 학교에서는 단체 줄넘기 대회를 하였습니다. 평균이 23번 이상이 되어야 준결승에 올라갈 수 있습니다. 4경기 동안의 기록이 다음과 같을 때, 준결승에 올라가려면 마지막에 적어도 몇 번을 해야 하는지 구하시오.

18	25	30	16	

20 은지네 학교에서는 윗몸일으키기 대회를 하였습니다. 평균이 35번 이상이 되어야 본선에 올라갈 수 있습니다. 4회 동안의 기록이 다음과 같을 때, 본선에 올라가려면 마지막에 적어도 몇 번을 해야 하는지 구하시오.

35	40	27	32	

21 풍산 문구점과 지학 문구점의 공책 판매 수를 나타낸 표입니다. 두 문구점에서 판매한 공책 수의 평균이 같을 때 지학 문구점에서 3일에 판매한 공책은 몇 권인지 구하시오.

풍산 문구점의 공책 판매 수

날짜(일)	1	2	3	
공책 판매 수(권)	7	8	12	

지학 문구점의 공책 판매 수

날짜(일)	1	2	3	4
공책 판매 수(권)	11	5		8

22 예지와 현아의 월별 수학 공부 시간을 나타낸 표입니다. 예지와 현아가 공부한 시간의 평균이 같을 때 예지가 4월에 공부한 시간은 몇 시간인지 구하시오.

현아의 수학 공부 시간

월(월)	1	2	3	4	
공부 시간(시간)	14	15	20	23	

예지의 수학 공부 시간

월(월)	1	2	3	4	5
공부 시간(시간)	16	18	10		26

일이 일어날 가능성

우리는 [**수학 4-2**]에서 꺾은선그래프를 알아보았습니다.

수량을 점으로 표시하고, 그 점들을 선분으로 이어 그린 그래프를 꺾은선그래프라고 하였습니다. 꺾은선그래프는 수량이 변화하는 모양과 정도를 쉽게 알 수 있었고 조사하지 않은 중간 값을 예상할 수 있었습니다. 예를 들면, 오른쪽 꺾은선그래프에서 오후 2시 30분의 운동장의 온도를 13 ℃로 예상할 수 있습니다.

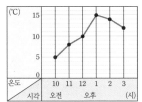

운동장의 온도

그렇다면 일이 일어날 가능성을 어떻게 표현할까요?

내일 아침에 동쪽에서 해가 뜰 가능성은 확실합니다. 이처럼 **가능성**은 어떠한 상황에서 특정한 일이 일어나길 기대할 수 있는 정도를 말합니다.

가능성의 정도는 **불가능하다, ~아닐 것 같다, 반반이다, ~일 것 같다, 확실하다** 등으로 표현할 수 있습니다.

일이 일어날 가능성이 낮습니다.   일이 일어날 가능성이 높습니다.

◀ 불가능하다 | ~아닐 것 같다 | 반반이다 | ~일 것 같다 | 확실하다 ▶

- 불가능하다 ➡ 주사위를 굴리면 주사위 눈의 수가 7이 나올 것이다.
- ~아닐 것 같다 ➡ 주사위를 세 번 굴리면 주사위의 눈의 수가 모두 6이 나올 것이다.
- 반반이다 ➡ 주사위를 굴리면 주사위 눈의 수가 짝수가 나올 것이다.
- ~일 것 같다 ➡ 주사위를 굴리면 주사위 눈의 수가 1 이상 5 이하로 나올 것이다.
- 확실하다 ➡ 주사위를 굴리면 주사위 눈의 수가 6 이하로 나올 것이다.

이때 일이 일어날 가능성을 '확실하다'는 1로, '반반이다'는 $\frac{1}{2}$로, '불가능하다'는 0으로 표현할 수 있습니다.

- 주사위를 굴리면 주사위 눈의 수가 6 이하로 나올 가능성 ➡ 1
- 주사위를 굴리면 주사위 눈의 수가 짝수가 나올 가능성 ➡ $\frac{1}{2}$
- 주사위를 굴리면 주사위 눈의 수가 7이 나올 가능성 ➡ 0

반드시 일어나는 일의 가능성은 1이고 절대 일어나지 않는 일의 가능성은 0입니다.

풍산자 비법   일이 일어날 가능성 ➡ 어떠한 상황에서 특정한 일이 일어나길 기대할 수 있는 정도

예제 따라 **풀어보는 연산**

예제 1 일이 일어날 가능성을 생각해 보고, 알맞게 표현한 곳에 ○표 하시오.

내일 아침에 서쪽에서 해가 뜰 것입니다.				
불가능 하다	~아닐 것 같다	반반 이다	~일 것 같다	확실 하다

01 검은색 바둑돌만 3개 들어 있는 주머니에서 꺼낸 바둑돌은 검은색일 것입니다.

불가능 하다	~아닐 것 같다	반반 이다	~일 것 같다	확실 하다

02 주사위를 굴리면 주사위 눈의 수가 0이 나올 것입니다.

불가능 하다	~아닐 것 같다	반반 이다	~일 것 같다	확실 하다

03 동전을 던지면 그림 면이 나올 것입니다.

불가능 하다	~아닐 것 같다	반반 이다	~일 것 같다	확실 하다

04 계산기에 '5+1='을 누르면 6이 나올 것입니다.

불가능 하다	~아닐 것 같다	반반 이다	~일 것 같다	확실 하다

예제 2 일이 일어날 가능성을 수로 표현해 보시오.

주사위를 굴려서 나온 주사위 눈의 수는 홀수일 것입니다.

$(\frac{1}{2})$

05 동전을 던지면 숫자면이 나올 것입니다.

( )

06 계산기에 '6+6='을 누르면 10이 나올 것입니다.

( )

07 한 명의 아이가 태어날 때, 남자 아이일 것입니다.

( )

08 오늘 오후에 서쪽으로 해가 질 것입니다.

( )

스스로 풀어보는 연산

[09-16] 일이 일어날 가능성을 말로 표현해 보시오.

09 12월 32일이 있을 가능성	**10** 노란색 공만 들어 있는 주머니에서 꺼낸 공이 노란색일 가능성
11 10원짜리 동전을 던졌을 때 숫자 면이 나올 가능성	**12** 주사위를 굴렸을 때 주사위 눈의 수가 5가 나올 가능성
13 내가 치타보다 빨리 달릴 가능성	**14** 전학 오는 학생이 남학생일 가능성
15 당첨 제비만 3개 들어 있는 뽑기 상자에서 꽝을 뽑을 가능성	**16** 횡단보도의 신호등에서 빨간색 신호가 켜질 가능성

[17-24] 일이 일어날 가능성을 수로 표현해 보시오.

17 계산기로 '$2 \times 7 =$'을 누르면 14가 나올 가능성	**18** 진희가 ○× 문제를 풀었을 때 정답을 맞혔을 가능성
19 무지개 색깔 중에서 색깔을 하나 골랐을 때 고른 색깔이 검은색일 가능성	**20** 주사위를 굴렸을 때 주사위 눈의 수가 짝수일 가능성
21 여름에 눈이 올 가능성	**22** 12월에 여름 방학을 할 가능성
23 월요일 다음에 수요일일 가능성	**24** 검은색 바둑돌 1개와 흰색 바둑돌 1개가 들어 있는 주머니에서 바둑돌 1개를 꺼낼 때, 꺼낸 바둑돌이 검은색일 가능성

[25-26] 가능성이 가장 높은 것을 찾아 기호를 쓰시오.

25	26
⊙ 주사위를 굴렸을 때 주사위 눈의 수가 홀수일 가능성 ⓒ 주사위를 굴렸을 때 주사위 눈의 수가 1과 6 사이일 가능성 ⓒ 주사위를 굴렸을 때 주사위 눈의 수가 7 초과일 가능성	⊙ 흰색 공 3개가 들어 있는 주머니에서 공 1개를 꺼낼 때, 꺼낸 공이 검은색일 가능성 ⓒ 노란색 공 4개가 들어 있는 주머니에서 꺼낸 공이 노란색일 가능성 ⓒ 흰색 공 1개와 검은 색 공 1개가 들어 있는 주머니에서 공 1개를 꺼낼 때, 꺼낸 공이 검은색일 가능성

[27-28] 가능성을 말과 수로 표현해 보시오.

27 내년이 2017년일 가능성	28 음료수 한 잔과 우유 한 잔이 있을 때 우유를 마실 가능성

[29-30] 빨간색, 파란색, 노란색으로 이루어진 회전판과 회전판을 돌려 화살이 멈춘 횟수를 나타낸 표입니다. 일이 일어날 가능성이 가장 비슷한 것끼리 이어 보시오.

29

 ·

색깔	빨강	파랑	노랑
횟수(회)	35	35	30

 ·

색깔	빨강	파랑	노랑
횟수(회)	0	50	50

 ·

색깔	빨강	파랑	노랑
횟수(회)	25	50	25

30

 ·

색깔	빨강	파랑	노랑
횟수(회)	20	10	10

 ·

색깔	빨강	파랑	노랑
횟수(회)	7	8	25

 ·

색깔	빨강	파랑	노랑
횟수(회)	20	20	0

지금까지 우리는 평균과 가능성을 배웠습니다.

힘들었을 텐데, 잘 풀었어요!

자, 그럼 마지막으로 지금까지 배운 평균과 가능성을 모두 이용해서
가능성이 주어진 카드에 적힌 수와 같은 경우를 3가지씩 적어 봅시다.

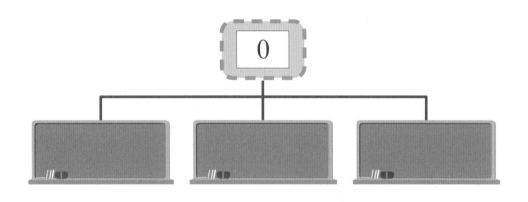

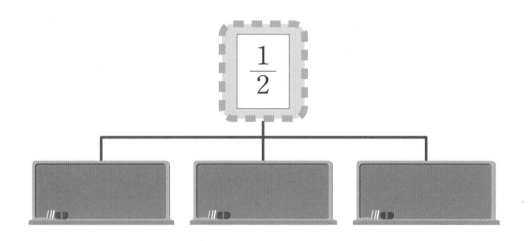

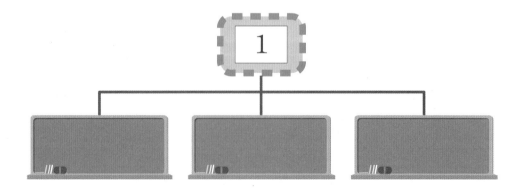